AF641673

Christine Arana Fader

# KRAFT DER WEIBLICHKEIT

HEILSAME IMPULSE für deinen Weg in eine NEUE WELT

Begleitbuch zu den 43 Karten

Schirner Verlag

Wir verzichten auf das Einschweißen unserer Kartensets – **UNSERER UMWELT ZULIEBE!**

ISBN 978-3-8434-9070-2

Christine Arana Fader
**Kraft der Weiblichkeit**
Heilsame Impulse für deinen Weg in eine neue Welt

© 2015 Schirner Verlag, Darmstadt
5. Auflage Dezember 2021

Schachtel & Karten: Simone Fleck, Schirner, unter Verwendung eines Bildes von Anja Kostka und #168347642 (©tomertu), www.shutterstock.com
Illustrationen: Anja Kostka
Lektorat & Satz des Begleitbuchs: Kerstin Noack, Schirner

Printed and bound by: Ren Medien GmbH, Germany

www.schirner.com

Alle Rechte vorbehalten
Reproduktion aller Teile nur mit Genehmigung des Verlages

# INHALT

# VORWORT

»Die höchste Berufung einer Frau ist es,
den Mann zu seiner Seele zu führen,
damit er sich mit seiner Quelle verbinden kann.

Die höchste Berufung des Mannes ist es,
die Frau zu beschützen, damit sie frei und unverletzt
auf der Erde wandeln kann.«

Dieses Sprichwort der Cherokee hat mich tief berührt und mir klargemacht, dass die Weiblichkeit eine Aufgabe in sich birgt, einen tiefen Sinn hat und diese Kraft in dieser Welt fehlt oder zu wenig vorhanden ist – auch in mir. Eine kraftvolle weibliche Energie zeigt der männlichen Energie den Weg und achtet das Männliche als Hüter und Beschützer – in unserem Inneren, aber auch im Außen. Das Weibliche ist der Lehrer, denn es schöpft aus einer alten tiefen Quelle heraus, und das Männliche ist der Bewahrer und Hüter dessen, was uns das Weibliche lehrt und auch schenkt. Wenn wir das Yin und Yang in uns betrachten, so ist es die Intuition, die der Lehrer sein sollte, und der rationale Verstand sollte das, was uns die Intuition lehrt, beschützen. Doch ist das so?

In meinen Workshops erlebe ich es oft anders: Die Intuition schenkt dir eine Erkenntnis, eine alte Weisheit, und der rationale Teil in dir lehnt es ab, vertraut der Intuition nicht mehr, zerschlägt mit wenigen Worten die Kraft des Weiblichen. Dies darf geheilt werden. Zunächst in uns, dann im Außen. Kein Mann muss eine Frau schlagen, und keine Frau muss einen Mann durch Gebrauch ihrer sexuellen Kräfte beherrschen – um nur zwei Disharmonien im Außen zu nennen, die auch in uns zu finden sind – nicht in uns allen natürlich, jeder hat Anspruch auf seine eigenen »Baustellen«. Meine »Baustelle« ist im Moment, das Männliche im Außen als Beschützer zu erkennen. Da ich als Frau meist auf mich gestellt war, habe ich das nicht gelernt. Wenn ein Mann mich fragt, ob er mir eine schwere Kiste tragen darf, liegt ein Nein auf meiner Zunge, weil ich es selbst kann. Aber ich beraube dadurch den Mann seiner Aufgabe – und ich meine nicht das Kistenschleppen! Er will mir mit dieser Geste seine Achtung zeigen, und er will mir sagen, dass er mich behütet. Wie zitiere ich immer so schön: »Ich bin ein Meister, der übt.« Und das sind wir alle. Wir dürfen gnädig und mit Geduld auf uns schauen, unsere Baustellen dürfen und sollten mit Liebe betrachtet werden. Eine Selbstreflexion, die voller Klarheit ist, ehrlich und mit Liebe zu uns selbst, ist wie ein Kelch gefüllt mit einem magischen Heilelixier.

Als der »Auftrag«, ein Kartenset zu weiblichen Energien zu machen, zu mir geflattert kam, war ich zunächst etwas überfordert. »Was ist Weiblichkeit?«, fragte ich mich. Und: »Spüre ich meine eigene Weiblichkeit? Nehme ich sie an?« Ich war ratlos. Doch die Botschaften flossen zu mir, und ich war wie immer dankbar und mehr als berührt. »Aber wo sind diese weiblichen Energien in mir?«, wollte ich wissen und suchte sie, und das Kartenset entstand – Botschaft für Botschaft.

Die Wochen vergingen, und etwas in mir wurde geheilt. Mein Kontakt zu meinem Körper ist gut und innig, aber jetzt spüre ich meinen Körper als den Körper einer Frau. Oft hörte ich von anderen Menschen, ich sei schön oder gut aussehend, doch ich konnte es nie fühlen. Jetzt verändert sich etwas. Ich fühle meine Schönheit, die äußere und die innere – es ist einfach magisch. Um meine Weiblichkeit zu verstehen, musste ich auch das Männliche verstehen lernen, und plötzlich lernte ich viele unterschiedliche Männer kennen. Mein Herz hörte zu, beobachtete, und es verstand: Die weibliche Energie ist unglaublich machtvoll, sie reicht bis tief in die Dunkelheit und bis in das höchste Licht. Wenn alle Aspekte der Weiblichkeit durch eine Frau fließen, wird sie niemals alt oder unattraktiv sein. Sie ist dann in einen Zauber gehüllt, der sie ewig schön sein lässt. Die Macht des Weiblichen ist in jeder Frau angelegt, es ist eine große Macht, die diese Welt von Grund auf verändern kann. Die Frauen gebären die Männer und geben ihnen Werte mit auf den Weg. Mütter, deren weibliche Aspekte erwacht und erlöst sind, werden dieser Welt Männer schenken, die Größe besitzen, angstfrei sind und ein liebendes Herz haben. Und ihre Töchter werden die Zukunft für alle sein und sie gebären.

Alle weiblichen Energien, die ihre Botschaften zu mir schickten, ließ ich mit ihrer vollkommenen Schönheit von der Künstlerin Anja Kostka umsetzen. Sie erstellte die Bilder alle in einem modernen Stil am Computer. Ja, ab und an fragte ich mich: »Ist das jetzt ›zu schön‹ für den Leser? Wird es ein Problem sein, wenn die Frauen zu schön dargestellt werden?« Dieser Gedanke trieb mir die Tränen in die Augen, weil ich plötzlich fühlte, dass viele Frauen ihre Weiblichkeit und ihre Schönheit nicht spüren. Möge dieses Kartenset alle weiblichen Aspekte in jeder Frau, die es berührt, zum Leuchten bringen und sie erlösen.

# Anwendung der Karten

Es haben sich hier Meisterinnenenergien zusammengefunden, die in magischer Harmonie ihr Licht zu dir fließen lassen, um in der Welt das weibliche Licht, die Urkraft wieder zu gebären. Ziehe eine Karte, und arbeite so mit ihr, wie im dazugehörigen Text dieses Begleitbüchleins und im »Heilsamen Weg« beschrieben. Lasse auch all deine Freundinnen Karten ziehen. Macht Frauenabende, bei denen ihr dies tut, lacht, singt und tanzt dabei. Und zieht euch zu diesem Anlass besonders schön an.

**Du kannst auch drei Karten ziehen!**

1. Karte: Die erste Karte steht für die Gegenwart, sie steht für den Moment, in dem du dich jetzt befindest, das bist du mit deinen Gaben, deinem Licht.

2. Karte: Die zweite Karte will dir ein aktuelles und nicht gelöstes Problem aufzeigen, etwas, was geheilt werden will. Arbeite, wie im Kartentext beschrieben, ganz intensiv mit dieser Schwingung und dem empfohlenen »Heilsamen Weg«. Wenn das Problem geheilt ist, offenbart sich dir die Kraft der Karte. Sie wird Barrieren niederreißen, um dich und die Welt zu erlösen.

3. Karte: Die dritte Karte zeigt dir etwas, was in deiner Zukunft liegt. Deute diese immer ganz positiv. Alles, was dir der Kartentext vermittelt, ist erlöst und im Licht. Die dritte Karte ist eine helfende und befreiende Energie, ein Licht aus der Zukunft, das dich zart umhüllt. Wenn du das aktuelle Problem, das dir die zweite Karte aufzeigt, geheilt hast, wirst du die Schwingung dieser dritten Karte in dir spüren.

Verstehe die erste und die dritte Karte als helfende Energien. Rufe diese beiden um Hilfe an, damit sich das Thema der zweiten Karte in dir erlösen möge und sich das Geschenk, das jetzt noch hinter einem Schleier liegt, offenbart. In der zweiten Karte versteckt liegt dein Glück, dein Frieden, dein Heil.

## Legesystem für deine Chakren

Mische die Karten auf Höhe deines Herzens. Halte sie anschließend einen Moment lang an dein Herz, und gehe in die klare Absicht, jetzt sieben Karten für deine Chakren zu ziehen. Beginne unten, und gehe dann nach oben, d.h. die erste Karte ist für das Wurzelchakra, die zweite für das Sakralchakra usw. Dann mische die übrigen Karten erneut vor deinem Herzen, und gehe in die klare Absicht, eine

Meisterkarte für eine Blockade zu ziehen, die in diesem Moment aufgelöst werden darf. Betrachte die Meisterkarte eine Zeit lang, dann blicke auf die sieben Karten, die vor dir liegen. Ordne die Meisterkarte einer der sieben Karten zu. Und zwar derjenigen, von der du meinst, dass sie optisch zur Meisterkarte passt, dann lege diese daneben. Die Karte, die du für dieses Chakra gezogen hast, beschreibt eine Blockade, einen Schatten. Lies den Text dieser Karte. Wenn er sehr positiv ist, dann beschreibt sie den »erlösten Zustand«, die Karte für dieses Chakra ist immer negativ zu interpretieren. Die Meisterkarte zeigt dir die Schwingung und das Licht der Erlösung für dieses Chakra. Gehe den auf der Meisterkarte beschriebenen »Heilsamen Weg«.

Verschaffe dir im Anschluss einen Überblick über deine restlichen sechs Chakren. Sei dabei immer mit deinem Herzen verbunden, und höre die leisen Stimmen, die zu dir sprechen.

1. Karte / Wurzelchakra: Diese Karte zeigt dir, ob du im Vertrauen bist und welche Kraft dein Vertrauen stärkt und im Gleichgewicht hält. Sie zeigt dir eine Kraft, die deine Ängste vertreibt – oftmals geschieht dies schon allein durch das Erkennen der Angst.

2. Karte / Sakralchakra: Diese Karte zeigt dir, inwieweit du die Lektionen deines Lebens verstanden hast. Manchmal zeigt sie aber auch eine Lektion, bei der Schmerz in Verstehen gewandelt werden darf, damit Leichtigkeit und Lebensfreude Einzug halten.

3. Karte / Nabelchakra: Diese Karte zeigt dir die Schwingung und das Licht deiner persönlichen Magie, und inwieweit sie schon befreit ist. Hier findest du deine Kraft.

4. Karte / Herzchakra: Diese Karte zeigt dir, mit welcher Energie sich deine dienende Liebe ausdrücken will und welches Licht du über die Welt legen kannst, um sie von Angst zu befreien. Das Herz ist der Kardinalpunkt deines Seins. Welche Liebe entspringt aus deiner Mitte? Erkenne sie, und heile mit deinem Sein alles, was der Heilung bedarf.

5. Karte / Halschakra: Diese Karte zeigt dir, was sich durch dich ausdrücken und welche Schwingung in den nächsten sieben Tagen durch deinen Ausdruck in die Welt fließen will. Spüre, ob diese Energie schon in Klarheit in dir schwingt! Hier zeigt sich ein heilendes Licht für dich und die Personen in deinem näheren Umfeld, wie z. B. für Kollegen, Familie, Freunde oder auch für Mitbewohner in einer WG.

6. Karte / Stirnchakra: Diese Karte zeigt dir eine Etappe deines Weges, der dich in die Erfüllung deines Seins führt. Sie zeigt ein Licht deines Seelenplans.

7. Karte / Kronenchakra: Diese Karte zeigt dir eine Erinnerung, die dir deine Größe bewusst macht, und ein Licht, das alle Barrieren niederreißen kann. Sie ist das Geschenk der Erkenntnis dessen, dass alles möglich ist. Erfülle dich damit.

Empfehlung: Wer viel mit den Karten arbeitet – für sich und/oder für andere – kann die Karten mit denen aus meinem Kartenset »Avalon & Camelot«* ergänzen. Mische beide Sets zusammen. Du wirst die besondere Anziehung zwischen beiden Sets schon spüren, wenn du sie in den Händen hältst. Lasse dich nicht davon irritieren, dass die Kartenrückseiten verschieden aussehen, das spielt überhaupt keine Rolle. Mit beiden Sets zusammen hältst du etwas Großartiges in Händen, eine lichtvolle Möglichkeit. Teile sie mit Freunden, und geht gemeinsam den Weg der Seele – für eine neue Welt voller Liebe, Frieden und Freiheit.

---

* Christine Arana Fader: Avalon & Camelot. Magische Botschaften, Schirner 2014.

## Die Sets »Kraft der Weiblichkeit« und »Avalon & Camelot« zusammen benutzen

Mische alle Karten beider Kartensets auf der Höhe deines Herzens. Gehe dabei in die klare Absicht, jetzt die Karten zu ziehen, die dich auf den Weg deiner Vollendung führen. Lege die obersten acht Karten vor dich hin, anschließend nimm die neunte Karte, und blicke sie an.

Lege die ersten vier Karten nebeneinander, und platziere die nächsten vier Karten darunter, sodass zwei parallele Reihen entstehen. Die neunte Karte ist deine Meisterkarte, platziere sie über allen anderen.

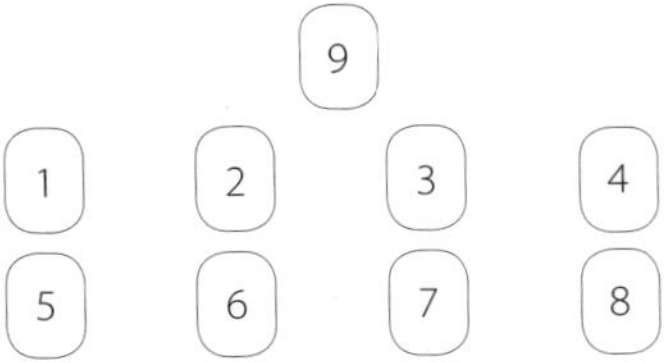


Lies zuerst den Text deiner Meisterkarte. Sie ist dein Schutz. Der Kartentext ist immer positiv und in vollkommen erlöster Form zu verstehen, im hellsten Licht, als tiefe Weisheit.

Verbinde dich ganz tief mit dieser Schwingung, sie ist das Licht deiner höchsten Erlösung. Lasse dich von dieser Meisterenergie durchfluten.

Die Karten 1 bis 4 sind Schicksalskarten. Sie zeigen Schatten und Probleme auf. Das bedeutet, dass die Inhalte des Kartentextes immer als unerlöste Probleme gelesen werden müssen. Die Karten 5 bis 8 zeigen die dazugehörigen Lösungs- und Heilungswege auf (Erlöserkarten).

Die Karten 1 bis 4 sind Schicksalskarten. Sie zeigen Schatten und Probleme auf. Das bedeutet, dass die Inhalte des Kartentextes immer als unerlöste Probleme gelesen werden müssen. Die Karten 5 bis 8 zeigen die dazugehörigen Lösungs- und Heilungswege auf (Erlöserkarten).

1. Karte: Diese Karte weist auf einen Schatten hin, der deinen persönlichen Entwicklungsweg behindert. Die darunterliegende Karte, also Karte 5, beschreibt die Lösung bzw. Heilung für diesen Schatten.

2. Karte: Diese Karte ist der Schatten im Thema »Partnerschaft«, Karte 6 die Erlösung dafür.

3. Karte: Diese Karte ist der Schatten im Thema »Fülle und Reichtum«, Karte 7 die Erlösung.

4. Karte: Diese Karte hält eine Überraschung bereit, ein besonderes unerwartetes Geschenk. Sie zeigt dir deine innere Kraft, ein Potenzial, das du in dir trägst. Dieses Geschenk ist blockiert und kann durch die Karte 8 befreit werden.

Lege jetzt nacheinander die untere auf die jeweils darüberliegende Karte mit den Worten: »Ich bin erlöst.« Dann ordne die Meisterkarte einer der vier sichtbaren Karten zu. Wähle diejenige, von der du meinst, dass sie optisch am besten zur Meisterkarte passt. Oder schiebe sie langsam über den Karten hin und her, bis du spürst, wo sie hingehört. Arbeite intensiv mit diesem Thema, mit dem »Heilsamen Weg« bzw. der Affirmation (aus dem Set »Avalon & Camelot«) der Meisterkarte und der Erlöserkarte, und verliere dabei niemals das Thema aus den Augen. Mögest du frei und glücklich sein.

# Weise Worte von
# Susanne Hühn

Liebe Leserinnen,

vor einiger Zeit hielt ich bei einem Kongress einen Vortrag. Ich sprach über die Verantwortung, die wir Frauen dafür haben, dass wir das Leben hüten, und darüber, dass wir wieder lernen dürfen, zu entscheiden, welche Projekte, Ideen und Ansprüche wir erfüllen und welche nicht. Denn immer dann, wenn wir als Frauen »Ja« zu etwas sagen, wenn wir Verantwortung übernehmen, erlauben wir, dass wir mit diesem Projekt »schwanger gehen«.
Wir Frauen sind Raumwesen, sagen die Schamanen – wir hüten einen Raum. Alles, was sich in unserem Raum befindet, hüten und nähren wir – ob wir wollen oder nicht! Ich sagte, dass wir uns verhalten wie unfreiwillige Leihmütter, wenn wir erlauben, dass uns andere gegen unser Gefühl ihre Ideen verkaufen, wenn wir die Projekte und auch Bedürftigkeiten anderer nähren, statt unsere eigenen Projekte zu hüten und am Ende zu gebären.
Ich wurde ein wenig drastisch und erklärte: »Wenn du dich unfreiwillig von den Energien anderer hast schwängern las-

sen, wenn du eine Angelegenheit in dir hütest, ein Projekt, ein Inneres Kind eines anderen und dir das den Raum für deine eigenen Kinder nimmt – also für das, was durch dich zur Erde kommen will –, dann treib sie ab!! Das dürfen wir, wir dürfen einen Schwangerschaftsabbruch durchführen, wenn wir erkennen: Das, was du da nährst, gehört überhaupt nicht zu dir.« Damit meinte ich selbstverständlich die Ideen, Bedürftigkeiten und auch die Projekte anderer, die du unfreiwillig unterstützt und die dir den Raum nehmen, dich um deine eigenen Angelegenheiten zu kümmern.
Hui, bekam ich einen Gegenwind! Ob man das so drastisch ausdrücken müsse, ob das nicht alles Transformationsprozesse wären, ob man sich nicht aber ausgesucht hätte, zur Verfügung zu stehen und ob das nicht Lernaufgaben der Seele wären. Ach du Schreck. Und ja, ich drücke das so drastisch aus. Denn wir Frauen dürfen die Sprache des Schoßraumes sprechen und eventuell auch neu erlernen. Ja, wir sind geistige, spirituelle Seelenwesen. Und wir sind Frauen, die Hüterinnen des Lebens. Natürlich hüten auch Männer das Leben, aber hier geht es um uns. Wir haben eine Aufgabe, denn wir haben eine sehr deutliche innere Instanz, die uns ganz ausdrücklich sagt, wann eine Sache dem Leben dient und wann nicht. Unser Schoßraum zieht sich zusammen, wenn wir spüren, da stimmt etwas nicht.

Selbst wenn unser Herz Ja sagt, spüren wir tief unten im Bauch, ob eine Beziehung, ein Projekt auf Erden machbar und lebbar ist oder nicht. Wir spüren im Bauch sogar, ob ein Mensch oder ein Tier leben will oder geht. Unser Körper bietet einer oder mehreren Seelen jeden Monat die Möglichkeit an, Mensch zu werden, ermöglicht Leben und erlebt den Tod, wenn die Eizelle nicht befruchtet wird. Wir gebären Kinder, und wir erleben, wie sie in uns sterben. Unser Schoßraum, die innere Schale des Lebens, ist alles andere als zimperlich. Im Gegenteil: Es ist oft fast nicht zu fassen, wie stark unser Durchhaltevermögen ist, was wir bereit sind, auf uns zu nehmen, wenn wir entschieden haben, ein Leben zu nähren und zu gebären, sei es ein physisches Kind oder eine Idee, ein Projekt. Gerade weil wir uns so bedingungslos hingeben, wenn wir nähren, dürfen wir sehr genau unterscheiden, was wir tatsächlich nähren wollen und was nicht. Das macht uns, wenn wir unsere Weiblichkeit ernst nehmen, zu wahren Expertinnen für das Leben selbst. Wir müssen nicht erst ausprobieren, ob eine Angelegenheit dem Leben dient – unser Schoßraum weiß es schon.

Wir dürfen lernen, uns wieder voll und ganz auf unsere weiblichen Instinkte zu verlassen. Dieses wundervolle Kartenset will euch eure unterschiedlichen weiblichen Kräfte aufzeigen und euch ermutigen, sie zu leben, sie zu nutzen. Die Welt braucht genährte, gesunde, sich selbst liebende, mutige und liebevolle Frauen, die das Leben wahrlich hüten. Es braucht dich, damit du deine Kinder zur Erde bringst, deine Herzensprojekte in die Tat umsetzt, deine Liebe, dein Mitgefühl und deine ausdrückliche Klarheit in der Welt wirksam werden lässt.

Wir sind Frauen. Wir hüten das Leben. So sei willkommen im Kreis der Frauen. Wir alle zusammen sind dafür verantwortlich, dass Mutter Erde mitsamt ihren Kindern, den Tieren, den Pflanzen und natürlich den Menschenkindern, blüht und gedeiht, jede in ihrem eigenen Wirkungskreis. Ich gehe so weit, zu sagen: Wir sind auch dafür verantwortlich, dass Männer zu ihrer wahren Männlichkeit finden, denn wir gehen voran.

Wenn du deine innere Frau lebst, dann aktivierst du den Mann statt das innere Kind oder den Vater in deinem Partner. Stehst du als reife Frau in der Welt, dann richten sich die Energien anderer ebenfalls aus. Dann wirst du zum Magnet für alle, die zu ihrer wahren Natur und Größe heranreifen wollen. Emotionale Aufrichtigkeit, nährendes Mitgefühl, aber auch ein klares Nein, wenn dich jemand (z. B. du selbst) ausnutzen will, gehören zu unseren wichtigsten Werkzeugen.

Ich bin sehr glücklich, mit Arana eine Freundin und Weggefährtin gefunden zu haben, die in jeder Hinsicht aufrichtig und klar, in aller Schönheit und Anmut ihren weiblichen Weg geht. So sei du, liebe Leserin, willkommen, liebe Freundin, Seelenschwester, Mithüterin des Lebens. Ich verneige mich tief vor deinem Weg als Frau, ich achte deinen Raum und alles, was du hütest.

In Liebe

*Susanne*

# Die Karten

## Agnes von Assisi

Als Kind schon hörte ich so gerne meiner Schwester Klara zu, sie erzählte von Jesus und seiner heiligen Mutter Maria. Ich hatte Visionen und sah, dass Klara einst die Gefährtin von Jesus war, in einer anderen Zeit, in einem anderen Leben. Und ich spürte, wie alt und tief meine Liebe zu ihr war. Ich war ein ruhiges Mädchen, das nie viel sprach. Als Klara das Haus verließ, um für immer im Dienst von Gott zu stehen und Franz von Assisi ihr feierlich das Haar abschnitt und sie mit dem Bußgewand bekleidete, wollte ich ihr sofort folgen. Doch mein Onkel und meine Cousins schlossen mich im Zimmer ein. Erst sechzehn Tage später konnte ich ihnen entwischen. Dann schnitt ich mir eigenhändig das Haar ab. Für mich war es ein Akt der Befreiung und ein Zeichen meiner Loyalität zu Klara. Ich gehörte zu ihr. Die Männer meiner Familie versuchten, mich gewaltsam wieder zurückzuholen, doch die Kraft von Jesus beschütze mich. Sie konnten weder ihre Schwerter gegen uns erheben, noch meinen Körper mit sich zerren, es war ein Wunder. Inspiriert von Klara, von Franz von Assisi und von Gott entfaltete ich mich. Meine Kraft wurde unglaublich groß, und ebenso mein Tatendrang. Ich verließ Klara, um die Leitung eines Konventes zu übernehmen. Von dort aus gründete ich mehrere Klöster, im Sinne meiner Schwester, die ich so sehr verehrte. Mein Herz war immer und in jedem Moment mit dem Herzen meiner Schwester verbunden, und so spürte ich eines Tages, dass ihre Zeit gekommen war. Es war das Jahr 1253. Ich ließ alles stehen und liegen, um zu ihr zu reisen. Als sie von mir ging, hielt ich ihre Hand, und wir lächelten uns an. Wir blickten zurück auf ein wundervolles Leben, das erfüllt war von unserem Glauben und unserer Bestimmung. Diese Verbundenheit und die Loyalität zu meiner Schwester, dieser heiligen Frau, war mir immer das Wichtigste in meinem Leben. Treu sein und an jemandes Seite stehen, den man achtet und liebt, ist etwas wahrlich Erfüllendes. Aus einem ruhigen, eher schüchternen Mädchen wurde eine erfüllte Frau – das war mein Leben, das Leben von Agnes von Assisi. Ich verließ diese Welt kurz nach Klara und wurde neben ihr bestattet. Ich folgte ihr nach in das nächste Abenteuer: Leben.

Suche nach der Erfüllung, suche nach einer Person, die dich inspiriert und berührt, nimm die Weisheit auf, die diese Person für dich auf diese Welt bringt. Sei bereit, ein Schüler oder eine Schülerin zu sein, und erkenne, dass dies Leben bedeutet. Lasse dein Herz in der Weisheit schwingen, dass ein wahrlich erwachter Meister hier auf Erden niemals aufhört, Schüler zu sein.

**Heilsamer Weg:**
Spüre die Schwingung von Agnes von Assisi, von ihrem erfüllten Leben. Was erfüllt dich? Der Weg deiner Bestimmung liegt in dir. Du findest ihn in deinem Herzen. Atme siebenmal grünes Licht in dein Herz, atme siebenmal rosafarbenes Licht in dein Herz, dann atme goldenes Licht in dein Herz, und forme aus dem Gold eine liegende Acht. Bitte Agnes, diese Acht mit der Schwingung von »Ich bin erfüllt« oder »Mein Leben ist erfüllt« zu segnen. Spüre das Licht in dir. Nimm dir Zeit, diese liegende Acht immer wieder zu visualisieren und zu spüren – sie wird dein Leben zu einem erfüllten Leben machen.

# AIRMED

Ich gehöre zu einem mächtigen Elbenvolk, und ich trage die höchste Schwingung von Heilung in mir. Mein Vater, Dian Cecht, hat mich und meine beiden Brüder, Miach und Ormiach, ausgebildet. So wie es schon immer Brauch ist in unserer Familie. Die hohe Energie der Heilung wird von Generation zu Generation weitergegeben. Sie liegt in unserem Blut, sie liegt in unseren Genen. Nie gab es größere Heilkraft. Selbst verlorene Glieder oder Organe können wir nachwachsen lassen. Doch unser Volk musste die Erde verlassen. Ich bin traurig darüber und blicke voller Mitgefühl zu den Menschen. Einst waren wir Freunde. Alle Elbenvölker wünschen sich die alte Zeit zurück – eine Zeit, in der wir zusammen Krankheit und andere Finsternis bekämpft haben.

Jetzt spreche ich zu dir, weil du meine Heilkraft brauchst und ich sie dir gewähren möchte. Es gibt eine verborgene Quelle, ihr Wasser passiert eine Granitschicht, die voller Smaragde ist. Ihr Name lautet die Quelle von Sláine. Dieses Wasser hat eine Leben spendende Energie, und sie entfesselt ihre Kraft für den, der darum bittet, durch ein Lied. Ich singe für dich dieses Lied, ein sehr altes Lied, das außer mir nur Artanis kennt. Sie ist die höchste aller Hohepriesterinnen und Hüterin aller Geheimnisse. Glaube, und vertraue. Ich bin bereit, für dich zu singen, um die höchsten Schwingungen für deine göttliche Ordnung freizusetzen … Bist du bereit, diese anzunehmen? Dann sage es! Sage es laut, und rufe meinen Namen. Ich bin Airmed, die größte Heilerin, die es je gab.

**Heilsamer Weg:**
Beschrifte einen Glaskrug mit »Smaragdus Be3Al2Si6O18«. Lege anschließend einen Smaragd und einen Bergkristall in den Krug, fülle ihn mit Wasser, und stelle ihn einen Tag lang in die Sonne. Trinke davon, und fülle immer wieder nach. Bevor du trinkst, rufe Airmeds Namen. Halte deine Hand über den Krug, und sprich zu dem Wasser: »Wandlung geschehe, denn ich glaube, du bist das Wasser aus der Quelle von Sláine und gibst mir göttliche Ordnung in meinen Körper, in meinen Geist und in meinen Willen.« Trinke dieses Wasser regelmäßig einen Monat lang, gerne auch länger. Lasse den Krug immer in der Sonne stehen. Während der kalten Jahreszeit schreibe zusätzlich den Sonnenton »H = 126,22 Hz« auf deinen Krug.

# ARTANIS

Ich bin Artanis, Hohepriesterin aller Elbenvölker. Es gibt ein altes Bündnis zwischen den heiligen Männern und Frauen der Menschen und denen der Elbenvölker. Dieses Bündnis will sich jetzt erneuern, da eine neue Zeit anbricht. Wir sind bereit, abermals mit unserer Weisheit und Kraft zu helfen. Durch mein Licht werden alle heiligen Schwerter gesegnet. Ich bestimme das Metall, den Edelstein und die Gravur und erhöhe alle Teile in ihrer Schwingung. Während das Schwert geschmiedet wird, empfange ich über die Elemente Wasser und Feuer den Namen des Schwertes, auch seine Kraft und Schwingung offenbaren sich. Meine magischen Kräfte sind unermesslich, ich besitze tiefes Wissen über jegliche Prozesse des Veredelns.
Bist du bereit für eine innere Veredelung? Verbinde dich mit mir, rufe meinen Namen, und spüre meine Kraft. Verlasse die Enge deines Kokons, und entfalte dich, werde frei. Rufe meinen Namen, und atme ein. Sage Ja zu deiner Schönheit, sage Ja zu deiner weiblichen Kraft, und sage Ja zu deiner Weis-

heit, die sich mit dem Licht deiner Weiblichkeit offenbart. Visualisiere meinen Namen, und lasse ihn, mit der Absicht, alle lichtvollen Anteile in dir zu veredeln, also in ihrer Kraft und Schwingung zu erhöhen, in deine sieben Hauptchakren hineinfließen. Möge sich das Licht in dir ausdehnen und alle inneren Schatten liebevoll durchdringen.

**Heilsamer Weg:**

Faste einen Tag im Zyklus des zunehmenden Mondes, stelle bei Nacht ein Gefäß mit Wasser in den Mondschein. Nimm hierfür ein mittelgroßes, verschließbares Glasgefäß, z. B. ein Marmeladenglas. Rufe Artanis, die Hohepriesterin aller Elbenvölker, mehrfach an. Halte dabei einen kleinen Halbedelstein zwischen deinen Händen, und bitte sie um das höchste Licht für deine innere Veredelung. Der Stein, den du wählst, wird von der Geistigen Welt bestimmt. Vertraue, du wirst den richtigen nehmen. Dann öffne dein Gefäß, wirf den Stein hinein, und verschließe es wieder. Lege eine Hand auf das Gefäß, und rufe Artanis erneut an. Dies wiederhole mehrfach. Am nächsten Tag fahre an einen heiligen Ort. Nimm die Karte mit, und bete dort für etwa ein Stunde. Rufe Artanis erneut an, öffne dein Gefäß, und trinke das Wasser in kleinen Schlucken. Danach verweile noch eine Stunde an dem heiligen Ort, rufe Artanis zu dir. Spüre die Lichtsäule, die sie zu dir sendet, um die Schwingungen in all deinen Chakren und in deiner Aura zu veredeln.

## Artemis

Ich bin die jungfräuliche Göttin der Jagd, des Waldes, des Mondes und die Hüterin aller Kinder und Frauen. Ich bin die unerbittliche Hüterin aller Tierkinder im Wald, ich bin die Stille und die Ruhe, ich bin die Geduld. Meine goldenen Pfeile sind Pfeile der Weisheit, sie bringen Prüfungen zu den Menschen, auf dass sie an ihnen wachsen mögen, auf dass ihre Kraft größer werden möge und sie lernen, zu verstehen, dass diese Welt eine duale Welt ist, eine Welt des Wandels, eine Welt von Licht und Schatten. Meine Pfeile sind aus dem Licht der Sonne gemacht, bringen Weisheit und Wachstum. Mein Bogen hingegen ist aus dem Licht des Mondes gemacht und bringt innere Stille, Geduld und das tiefe Vertrauen, dass alles, was zu dir kommt, deiner Ganzwerdung dient und dich zu deiner Vollkommenheit führt. Meine Schwingung ist wild und unbezähmbar, nichts kann mich unterwerfen. Ich behüte das Leben, doch ich scheue mich nicht davor, es auch zu nehmen, wenn es dem Ganzen dient. Ich wandle zwischen Licht und Dunkel, ich habe Zugang zu allen Bereichen, zu den höchsten göttlichen Schwingungen, aber auch zum Reich der Schatten. Meine höchste Schwingung ist das Licht der ewigen Jugend. Folge mir in den Wald, dort findest du sie. Öffne Herz und Augen für das Grün, das dich dort umhüllt, und lasse dich davon durchströmen. Ich zeige dir den Quell der ewigen Jugend in dir. Du wirst mich spüren, auf den stillen Pfaden der Wälder. Rufe mich an deine Seite, und wandle mit mir durch die Wälder fernab der üblichen Wege. Ich werde dir leise zuflüstern, dass die ewige Jugend nichts mit Äußerlichkeiten zu tun hat, sondern eine Schwingung von Freiheit in dir ist. Diese Schwingung findest du in den Kathedralen der Natur, unter dichtem Blätterdach, in den Augen der Tiere, im Duft der Bäume und im Lied des Windes, der durch die sich wiegenden Äste zu dir singt.

**Heilsamer Weg:**

Trinke Smaragdwasser, und gehe in den Wald. Gehe allein, und rede nicht. Dann rufe Artemis, und folge ihr. Finde die

Stille. Finde sie in deinem Herzen, und lasse über deine Augen alles Grün in dich einströmen. Nimm es über einen längeren Zeitraum bewusst wahr, und verankere es in deinen Zellen.

## Aurora

Ich bin Aurora, mein Name bedeutet »lebendiges Seelenlicht«. Ich bin Hohepriesterin in Lemurien. Mein Tempel ist die Natur, sind die alten Wälder mit den hohen Bäumen, dieser ganz eigenen reinen Luft und dem Spiel des Lichtes, das durch das Blätterdach fällt. Ich wirke in jenen Kathedralen, die von der göttlichen Quelle allen Seins erschaffen wurden – die Berge und Täler, die Wälder und Höhlen, ja, und auch die wundervollen Strände. In diesen Kathedralen bist du deiner Seele ganz nah. Wenn du bei Sonnenaufgang allein an einem weißen Sandstrand stehst, wenn der warme Wind durch dein Haar streicht und du dein Herz öffnest, dann spürst du die Kraft deiner Seele.

Dann spürst du, dass du mit allem eins bist, und deine Seele schwingt mit der aufgehenden Sonne, dem Wind und den Wellen des Meeres zu deinen Füßen. Deine Kraft liegt in der Einheit. Deine Kraft ist die Liebe. Du bist ein göttliches Wesen, und deine Seele weiß um eine göttliche Ordnung in dir, eine Vollkommenheit, die wie ein bezauberndes Lied in dir schwingt. Du kennst mich aus Lemurien, dort habe ich dir alles über die Kraft von Klängen und Tönen beigebracht. Alles ist Ton, alles ist Schwingung – alles ist Musik. Deine Seelenfamilie ist wie ein betörendes Lied voller Schönheit, und du bist ein Ton davon, ein Klang. Doch das vollkommene Lied schwingt auch dann noch in dir, wenn du deine Seelenfamilie verlässt, um zu inkarnieren – durch das Lied seid ihr immer verbunden. Auch dein Klang bleibt als Schwingung im Feld deiner großen Seelenfamilie, so, wie eine Erinnerung. Dieser Klang ist am Ende auch der Weg, der dich nach Hause bringt, damit du wie einst wieder Teil des Liedes werden kannst. Alle Erfahrungen, die du von deinen Reisen durch unzählige Leben mitbringst, sind wie ein weiteres Instrument, das das Lied voller und kräftiger werden lässt. Deine Erfahrungen sind nicht nur für dich, sie sind für alle Seelen deiner Familie. Sie bringen allen Wachstum, wobei dieses Wort für das, was es bedeutet, nicht das richtige ist, aber es gibt kein anderes in der menschlichen

Sprache. In Lemurien haben wir Töne in Kristalle eingebettet, es waren Kristalle des Wissens – Wissen um Heilung, Wissen um das Leben, Wissen um Vervielfältigung, Wissen um Teilung und vieles mehr. Wir hatten riesige Hallen voller Kristalle, sie hatten die Form von rechteckigen Scheiben und waren in gigantischen Bibliotheken für jeden zugänglich. Damals hatten wir noch keine solch grobstofflichen Körper, und so waren die Töne etwas, was uns vollkommen durchdringen konnte. Doch sind es am Ende die Töne, die ein grobstoffliches Sein wieder in ein feinstofflicheres Sein verwandeln können. Dies nenne ich Hoffnung, dies lässt mich lächeln. Finde den Ton deiner Seele.

### Heilsamer Weg:

Alles ist Ton, alles schwingt. Der Ton unserer Sonne ist Ton H = 126,22 Hz. Arbeite mit ihm, höre ihn – das Internet bietet einige Möglichkeiten dafür –, schreibe ihn auf deinen Körper (Sonne – Ton H = 126,22 Hz). Dies ist der Ton, der das Licht bringt, um Dunkles und Unreines in dir aufzulösen. Dieser Ton bringt Wachstum und öffnet in dir dein altes Wissen, damit du es jetzt teilen mögest mit deiner Welt.

## Birke

Ich bin die Frau der Wälder. Gerne werde ich auch die Mutter aller Bäume genannt. Vor etwa 13 000 Jahren, nach der letzten Eiszeit, besiedelte ich rasch das Land. Ich gedeihe an vielen Orten, ich bin hartnäckig und zäh, und dies will ich dich lehren. Setze dich durch, stehe ein für deine Träume. Lasse dir von niemandem sagen »Das wird nichts« oder »Das ist keine gute Idee«, wenn dein Herz dafür brennt. Lege deine Hände auf meinen Stamm, und öffne sie für mein weißes Licht. Lasse es durch dich strömen, und nimm meine Schwingung in dich auf. Aus meinen vielen herunterfallenden Blättern und aus meinem reichen Fruchtstand entsteht schnell ein genährter Boden, auf dem auch andere Bäume gedeihen können. Ich bin der Baum des Beginns, des Jahresanfangs. Ich bin der Baum der Geburt und der jungen Liebe. Ich trage viel Heilkraft in mir. Tee aus meinen Blättern wirkt reinigend und harntreibend. Ich schenke dir eine unbeugsame Stärke, egal, wie widrig deine Lebensumstände sind, egal, wie schwierig dir dein

Leben oder die Verwirklichung deiner Ziele erscheint. Verbinde dich mit mir, nimm meine Kraft, meine Zähigkeit und meinen unbeugsamen Willen in dich auf, und lebe deine Träume. Bereichere die Welt damit.
Du hast heute diese Karte gezogen, damit ich dir all meine Stärke gebe. Lebe den Pioniergeist, der in dir ruft. Gehe deinen Weg, und verliere ihn niemals aus den Augen.

### Heilsamer Weg:

Gehe zu einer Birke, und meditiere. Bitte die Birke um ihre Kraft, um ihre Zähigkeit und um ihr Durchhaltevermögen. Nimm ein kleines Stück Birkenholz, und trage es an deinem Körper. Die Birke vertreibt durch ihr helles Licht alle Schatten, die dir im Weg stehen. Wenn du eine Badewanne hast, streue eine Handvoll frische Birkenblätter ins Wasser, während du badest. Trinke Birkenblatttee.

# Brigid

Ich bringe dir Licht, Kraft und Fruchtbarkeit. Ich vertreibe Schatten und Kälte aus dir und dieser Welt. Ich bringe Lösung und Erlösung und erwecke Schlummerndes in dir. Mein Begleiter ist der Bär. Er lehrt dich, dass die Kraft aus der Mitte kommt. Er steht für den Weg der Göttin. Meine Schwingung ist Lebendigkeit, Lebensfreude, Lebenslust und das Gefühl des Verliebtseins. Erinnerst du dich an dieses Gefühl? Halte einen Moment inne, suche dieses Gefühl in dir, und lasse es durch dein Sein fließen. Finde die Schwingung in deinem Herzen, lasse dich von ihr nähren. In früheren Zeiten, als die Menschen sich meiner noch bewusst waren und mir huldigten, segnete ich in der Nacht von Imbolc Verbindungen zwischen Frauen und Männern zur Probe für ein Jahr. Dies war ein guter Brauch. Du lebst in einer anderen Zeit, Männer und Frauen begegnen sich in dieser oft mit Angst. Angst vor Verletzungen, Angst davor, sich festlegen zu müssen, Angst, gefangen zu sein – so viele Schwingungen, die verwirren. Viele Menschen haben Angst, das Gefühl von Verliebtheit zuzulassen. Bitte habe keine Angst, finde diese Schwingung in dir, und erlöse dich damit. In deiner Zeit gibt es viele Möglichkeiten, Zweisamkeit zu leben. Wenn du willst, versuche es mit meinem Licht und einer weisen Tradition: Segne deine Partnerschaft für ein Jahr in meinem Namen, danach besprecht, was gut und was weniger gut war in diesem Jahr. In meinem Licht werdet ihr die offene Kommunikation finden, frei von Schatten und voller Lebenslust. Oder suche jemanden, der sich gemeinsam mit dir auf ein Experiment einlässt: Zweisamkeit für genau ein Jahr, auf Probe. Wichtig ist, dass das, was in dir nicht heil ist, Erlösung findet, damit du eine glückliche Zweisamkeit leben kannst, so, wie es für dich in deiner Welt richtig ist. Rufe dafür auch den Bären zu dir. Er führt dich in die Welt der Weisheit, er deckt deine Irrtümer und faulen Kompromisse auf, er erweckt in dir das Vertrauen in deine Intuition.

### Heilsamer Weg:

Überlege, was für eine Partnerschaft du brauchst, um alle Ängste loslassen zu können. Schreibe es auf, beginne mit den Worten: »Ich, … (setze hier deinen Namen ein), wünsche mir eine Partnerschaft der neuen Zeit. Ich brauche für eine erlöste und glückliche Partnerschaft … (hier setze ein, was du brauchst, um dich sicher und glücklich zu fühlen)!« Dann lies es laut vor. Lies diese Sätze sieben Tage lang jeden Tag – ändere, was geändert werden muss, und ergänze, was fehlt. Schreibe am siebten Tag alles mit deiner schönsten Schrift ins Reine, achte darauf, keine Verneinungen zu verwenden. Dann lege den Zettel zusammengefaltet auf deinen Altar, oben darauf lege die Karte »Brigid«, einen kleinen Zettel mit dem Ton der Venus (Venus – Ton A = 221,23 Hz), einen mit dem Ton der Sonne (Sonne – Ton H =126,22 Hz) und zum Schluss einen Rosenquarz. Lasse alles einen Monat unberührt liegen. Danach löse alles auf, lege die Karte in das Set zurück, und schaue, was passiert oder schon passiert ist.

# Buche

Ein alter Wald mit meiner weisen Schwingung ist eine Kathedrale der Natur. Hier schenke ich dir Selbstvertrauen, Hoffnung und ein tiefes Vertrauen in all das, was du verwirklichen möchtest. In meiner Essenz trage ich eine weibliche Schwingung von großer Kraft und auch von Sanftmut. In mir findest du Weisheit, Wissen und Antworten. Vom meinem Namen wurden die Worte »Buchstabe« und »Buch« abgeleitet, da ich der heilige Baum des Lernens bin. Ich stehe in enger Beziehung zu Ogma, einem Elbenkrieger von großer Weisheit und Geduld. An meinen Stamm gelehnt kannst du ihn rufen und um Rat bitten, wenn du einmal nicht weiterweißt. Du lebst in einer dualen Welt, in der die Schatten Wissen und Weisheit für sich behalten wollen, höre nicht auf sie. Sie versuchen, deine innere Weisheit einzuschläfern. Sie verwirren dich mit Lügen und säen Angst in dein Herz. In mir findest du die Macht, die die Schwingung aller Bäume vereint. Deine Ahnen wussten um meine Magie – Wissen bedeutet Macht, und es bedeutet frei sein. Ich bin ein uraltes lebendiges Orakel. All mein Wissen schenke ich dir, wenn du dein reines Herz für mich öffnest.

### Heilsamer Weg:

Nutze für zwei oder besser noch für drei Tage kein Handy, kein Internet, keinen Fernseher und kein Radio. Gehe in einen Buchenwald, und bete zu den alten Göttern deiner Ahnen. Höre die Stimme in deinem Herzen, lausche ihren Geschichten, und lasse dich verzaubern.

# Druantia

Man nennt mich die Königin der Druiden, doch bin ich auch die Göttin der Bäume, und somit Hüterin des Waldes mit all seinen Pflanzen und Tieren. Die Wälder sind heilige Orte, Orte der Stille und der Klarheit. Die Wälder sind die wahren Kathedralen der göttlichen Quelle – sie wurden für uns errichtet –, Kathedralen des Herzens, angefüllt mit heilenden Schwingungen. In der Stille des Waldes kannst du dich auf deinen eigenen Herzschlag konzentrieren. Du findest die nötige Ruhe und Klarheit, um jetzt wichtige Entscheidungen zu treffen, damit du dem Weg deiner Seele folgen kannst. Die Bäume tragen altes Wissen in sich, in ihrer Schwingung – Wissen über Heilkraft, Fruchtbarkeit, Fülle, aber auch über Schutz und Kreativität. In mir vereint sich all dieses Wissen. Höre meine Stimme, sie ist der Wind, der durch die Baumwipfel säuselt, um dich zu lehren, dass ein schöpferischer Geist in allem ist. Jedes Wesen, jeder Baum und jeder Stein hat eine Seele, besitzt Würde und Stolz. Erkenne dich in deinem weiblichen Licht. Lasse Stolz und Würde in all deine weiblichen Aspekte fließen, gehe aufrecht, und leuchte.

**Heilsamer Weg:**
Mache dich schön. Gehe in die Sauna, nimm ein Vollbad, verwöhne deine Füße und Hände mit einer Massage. Trage deine schönsten Kleidungsstücke, schmücke dein Haupt mit einer Krone oder einem Kranz aus Blüten und Blättern. Lege deinen schönsten Schmuck an. Gehe in den Wald, und tanze mit den Bäumen und den Sonnenstrahlen, die durch das Blätterdach fallen. Lasse das Gefühl von Schönheit und tiefer Romantik durch dich fließen.

# Eberesche

Mein Name ist Eberesche, aber viele nennen mich auch Vogelbeere. Ich gehöre zu den Rosengewächsen und wurde von den heiligen Männern und Frauen eurer Ahnen auch liebevoll »die Frau der Berge« und »Augenfreude« genannt. Meine korallenfarbigen Früchte sehen aus wie Beeren, sind aber wie Äpfel aufgebaut. Ich bin voller Magie und Geheimnisse. Der Mensch kann mich und meine Schwingung niemals zur Gänze ergründen. Meine Schwingung ist eng mit der Kraft der Drachen verbunden, und so kann ich dir, ebenso wie die Drachen, Mut, Magie und Macht verleihen. Ich schenke dir Lebenskraft und heile Geist und Seele. Ich will dich leiten auf lichtvollen Wegen. Erweitere deinen Geist. Erkenne, dass alles, was du brauchst, in der Natur zu finden ist. Gehe einen natürlichen Weg. Selbstheilungskräfte finden ihren Antrieb in der Natur und mit der Natur, dies zu erkennen ist ein Weg von geistigem Wachstum und führt dich in dein persönliches Erwachen. Ich zeige dir deinen goldenen

Seelenweg, den Weg deiner Bestimmung. Ich ermögliche dir die höchste Einweihung. Frage dein Herz, ob du für deine lichtvolle Magie und deinen Drachen bereit bist: Wenn ja, dann hole sie zurück in dein Leben.

### Heilsamer Weg:

Schreibe »Sorbus aucuparia« (lat., *Eberesche*) auf ein Pflaster, und klebe es auf deinen Körper. Spüre dabei sorgfältig, auf welche Stelle du es kleben möchtest. Überprüfe die Stelle jeden Tag, und lasse die Schwingung der Eberesche für sieben Tage an deinem Körper. Alternativ kannst du dir die Worte auch direkt auf die Haut schreiben. Wachse über dich hinaus, und erwache im Licht.

# EPONA

Mein Name ist Epona. Viele Völker, darunter auch die Kelten, verehrten mich als »Göttin der Pferde« und auch als »Göttin der Fruchtbarkeit«. Dabei ist meine Schwingung eher eine Schwingung von Struktur, einer unbeugsamen Kraft, die aus geordneten Dingen hervortritt. Nur aus solch einer Kraft heraus kann ein König herrschen. Dies hatten die Römer sehr schnell erkannt und mich zur Göttin der Reiterei, der Kavallerie und auch der Wagenführer gemacht. Doch bin ich nicht kriegerisch, ich helfe in der Not und ordne die Dinge wieder im Licht.

Warum bedarfst du meiner Hilfe? Wo fehlt es an Struktur und Ordnung in deinem Leben? Überall dort, wo Chaos herrscht, ist ein »Loch«, aus dem du Energie verlierst. Erst macht es dich müde und antriebslos, doch wenn das Chaos nicht in die Ordnung kommt, wird es sich früher oder später auch im Physischen ausdrücken. Dann macht es krank oder unglücklich. Nimm meine Hand, und folge mir auf deinen inneren Wegen. Mein Licht bringt Struktur in dein Inneres, ich verbinde in dir Himmel und Erde, damit Ruhe in das Chaos deiner Gedanken einziehen kann. Auch muss geprüft werden, ob alte Strukturen noch ihre Gültigkeit haben in deiner Welt. Deine Welt und dein Leben erneuern sich in jedem Moment. Oftmals spürten die Menschen das nicht, aber in deiner Zeit spürt es fast jeder, weil es diesmal anders ist – weil eine neue Zeit angebrochen ist. Verschließe deine Augen nicht, sondern erkenne deine neuen Strukturen, deine neuen Regeln, und erlöse und ändere, was dessen bedarf.

**Heilsamer Weg:**
Ordne dein Heim, reinige deine Räume. Trenne dich von allem, was du nicht brauchst. Bringe Klarheit in deine äußeren Räume, denn dies wird sich in deinem Inneren widerspiegeln.

# Eriu

Ich bin Eriu, Prinzessin eines Elbenvolkes, doch bin ich auch Kriegerin und Gelehrte. Mein Wissen über die Dinge und Energien, die die Welt und ihre Wesen lenken, ist sehr groß, und somit auch die Macht der Magie, die durch mich fließt. Ich trage ein mächtiges Schwert, geweiht von unserer Hohepriesterin Artanis. Ich habe zwei Schwestern, die mir in allem ebenbürtig sind und die ich über alle Maßen liebe. Und ich habe einen klaren, brillanten Verstand, niemand kann mir etwas vormachen. Noch lange nachdem die Elbenvölker die Erde verlassen hatten, wurde mein Name genannt, meine Schwingung blieb unter euch Menschen. Heute will ich mein magisches Licht zu dir fließen lassen, um dich an die Macht deines Verstandes zu erinnern. Der Intellekt muss genutzt werden, wenn eine neue Ordnung entstehen soll – es muss groß und weitreichend gedacht werden. Der klare Intellekt entlarvt Entscheidungen des kleinen Ichs. Denke größer, wünsche größer, und werde dadurch selbst groß, auf dass dein

Leben einen großartigen Sinn hat. Spüre deine Größe, und lasse die Magie, die dir innewohnt, sich erneut entzünden, zum Wohle aller.

**Heilsamer Weg:**

Formuliere ein Gebet, in dem du mehrfach den Namen der Elbenprinzessin Eriu nennst. Bitte in diesem Gebet um eine kraftvolle, biegsame, spirituelle Intelligenz. Bitte um innere Größe. Sprich dieses Gebet täglich, bestimme selbst wie lange.

# Fann

Ich bin Fann, Gattin von Lyr, dem Gott des Meeres, aber auch Königin der Elben und somit Herrscherin über ein großes Reich. Man nennt mich auch »Perle der Schönheit«. Meine Schönheit ist betörend, und ich habe sie missbraucht. Die Möglichkeit, andere mit den Geschenken Gottes zu unterwerfen oder sie zu manipulieren, ist uns allen gegeben. Auch den Weisesten und den liebenden Herzen ist dies schon passiert. Wichtig ist, dies zu erkennen und dann aufzuhören. Kein Mensch, und auch kein Elb, ist völlig frei von der dunklen Seite. Ab und an wählen wir die falschen Mittel aus dem Wunsch heraus, etwas Gutes zu tun. Sei aufmerksam. Wo manipulierst du? Wo willst du beherrschen? Oft ist dies bei Tieren der Fall: Menschen sperren sie in zu kleine Käfige, halten große Hunde in viel zu kleinen Wohnungen oder Pferde in Boxen, in denen sie keine ausreichende Bewegung bekommen. Oft geht es nur ums Besitzen und um das Gefühl, etwas beherrschen zu können. Oft besitzen Menschen Tiere nur zu Repräsentationszwecken, um sich selbst größer, schöner und edler zu fühlen. Ich habe meine Lektion vor langer Zeit gelernt, lerne du nun deine. Folge dem Weg der wahren Liebe. Er wird dir aufzeigen, wo du unrecht handelst, und dann sei gnädig mit dir selbst.

### Heilsamer Weg:

Suche die Karte »Lilie« aus diesem Kartenset. Lege sie einen Moment auf dein Herz, dann lies den Text, und befolge die Anweisung des dort beschriebenen heilsamen Weges.

## Gänseblümchen

Jeder liebt mich, ob alt oder jung. Die meisten nennen mich Gänseblümchen, doch ich habe viele Namen, und so werde ich auch Tausendschönchen, Maßliebchen, Mondscheinblume, Mümmeli, Marienblümlein, Augenblümchen, Gichtkraut, Himmelsblume, Regenblume, Mutterblümchen und Kleinstes Wundkraut genannt. Ich bin eine Heilerin. Ich bin ein Allheilkraut. Ich helfe bei Husten, Verstopfung, Hautkrankheiten, Wunden, Prellungen, Quetschungen, Blutergüssen, Verstauchungen, Muskelschmerzen und Hautausschlägen. Zerreibe meine Blüte zwischen den Fingern, und tupfe meine Flüssigkeit auf eine Verletzung, auf einen Insektenstich oder auch auf Lippenherpes. Ich reinige dein Blut, unterstütze deinen Stoffwechsel und die Funktion deiner Leber und wirke verdauungsfördernd. Ich entgifte dich, und ich ergänze deine täglichen Speisen um wertvolle Schwingungen. Rupfe mich von meinem Stil, und verfeinere mit meinem Licht Salate, Soßen, Suppen, süße Speisen und

Kräuterquark, oder lege mich sanft auf dein Butterbrot. Ich schenke dir neben meinem Licht viel Vitamin C und wertvolle Mineralstoffe wie Kalium, Calcium und Magnesium. Für dein Gemüt bringe ich dir die Schwingung von Lebensfreude, Lebensenergie. Ich schenke dir das ganz besondere Licht vom Verstehen des Sinns deines Lebens.

Du hast diese Karte heute gezogen, weil du dich selbst vergiftest. Was ist es, was sich in deiner Leber festsetzt? Wut? Zorn? Oder Gifte, die du über deine Nahrung zu dir nimmst. Du tust es, obwohl du weißt, dass sie Gift für dich sind. Schau mich an, schlage einen anderen Weg ein, höre auf, dich selbst zu vergiften. In mir schwingt das Licht von Freia, der Göttin der Liebe, und Ostara, der Göttin des Frühlings. Nimm beide Schwingungen durch mich auf. Liebe dich, und entwickle jetzt ein neues Bewusstsein für das, was dich heilt, und für das, was dich vernichten will.

**Heilsamer Weg:**

Mache für einen Monat eine »Gänseblümchenkur«. Trinke täglich Gänseblümchentee. Schreibe »Bellis perennis« (lat., *Gänseblümchen*) auf deinen unteren, rechten Rippenbogen, dort, wo deine Leber sitzt, und auf deinen Solarplexus oder auf ein Pflaster, und klebe es an die genannten Körperstellen. Zusätzlich schreibe den Ton des Neptuns (Ton

Gis = 211,44 Hz) auf deinen Körper oder ebenfalls auf ein Pflaster. Spüre selbst, wo du diese Schwingung brauchst. Neptun hilft dir dabei, Süchte aufzugeben, und heilt den Selbstbetrug.

## HEKATE

Ich bin eine Wächterin zwischen den Welten. Ich bin die Göttin der Magie, und ich rufe dich bei deinem Namen. Ich bin dir ein kraftspendendes Licht in dunklen Zeiten. Ich bringe dir die Magie und den Zauber, durch den du dich an deine tiefsten Wünsche erinnerst. Seit langer Zeit schon will ich dir einen Wunsch, der in dir schwingt, erfüllen. Meine Schwingung ist Unabhängigkeit, meine Kraft ist gewaltig, und so werde ich sogar von den alten Göttern geachtet und gefürchtet. Welcher unerfüllte Wunsch brennt seit Jahren in deinem Herzen, sage es mir. Erinnere dich, es ist ein alter Wunsch. Du hältst ihn in dir verborgen, weil du an dem Licht der Erfüllung zweifelst. Hole diesen einen alten Wunsch hervor. Betrachte ihn, fühle ihn. Erinnere dich an die Zeit, als er entstand, als dein Herz jung und voller Zuversicht war. Ich erscheine dir in Begleitung einer Löwin. Ihre Schwingung ist Kraft, Siegeswille, Autorität, Mut und Furchtlosigkeit. Verbinde dich mit uns, und erkenne, wie lichtvoll dieser alte Herzenswunsch in dir ist. Wandle mit unserer Kraft all deine Gedanken in eine positive Richtung, und alle Wünsche erfüllen sich.

**Heilsamer Weg:**

Halte die Karte an dein Herz, und rufe mit deiner inneren Stimme nach Hekate. Visualisiere, wie sie mit einer Fackel in der Hand um dich herum läuft. Rufe immer weiter ihren Namen, und nach einigen Minuten sprich laut deinen Wunsch aus. In diesem Moment brennt Hekate mit ihrem magischen Feuer alles weg, was diesen Wunsch festhält, ihn nicht fließen lässt, und er wird sich erfüllen. Sprich mehrfach und laut Worte aus, die die Erfüllung bekunden, wie z. B. »Ich *habe* einen wundervollen Arbeitsplatz, der mich finanziell unabhängig macht.« Bringe Hekate ein Opfer dar, um ihr zu danken – Gebäck, Rotwein oder Salz. Lege es auf die Schwelle deines Hauses oder an eine Weggabelung in der Natur. Sprich dabei Worte des Dankes aus. Nimm die Löwenschwingung in dein System auf, und schreibe den

Satz »Cor et potentia leonis« (lat., *Herz und Kraft des Löwen*) auf deine Brust, auf beide Handinnengelenke und auf den unteren linken Rippenbogen, dort, wo die Milz sitzt – entweder direkt auf die Haut oder auf ein Pflaster, das du auf die Haut klebst. Lasse diese Schwingung einen Monat lang dort, und nimm immer wieder die Karte an dein Herz.

## Hildegard von Bingen

Meine größte Kraft ist die Hartnäckigkeit, und diese will ich dich lehren. Gib nicht auf! Die Frauen zu meiner Zeit liebten mich, jedoch der ein oder andere Mann nannte mich aufsässig und eigensinnig. Was ich mir in den Kopf gesetzt hatte, wurde durchgesetzt, natürlich immer mit Gottes Segen. Man sagt mir nach, ich hätte unzählige Heilkünste in die Welt gebracht. Nun, das entspricht nicht der Wahrheit. Ich habe diese lediglich zusammengetragen und niederschreiben lassen, das Wissen von Heilkunde, von der Welt, das den Weg zu mir fand –

sicherlich war dies ein Dienst für die Menschen, oh ja. Manches Werk über die Kraft von Heilpflanzen wurde viele Jahre nach meinem Tod geschrieben und trug meinen Namen, um sich besser zu verkaufen. Nun, das beschämt die Menschheit, hat aber nichts mit mir zu tun. Ich bitte euch: Gedenkt meiner aufgrund meiner besonderen Kraft, mich gegen alle Widrigkeiten durchzusetzen. Ich bin meinen Weg gegangen, in einer Zeit, in der es für eine Frau nicht einfach war. Ich war zu Lebzeiten die erste Nonne, die öffentlich predigte – das sollte mein Andenken sein. Ich bin den Weg meiner Seele gegangen. Die Bücher, die meine Visionen bis heute überliefern, und meine Musik sollten mein Andenken sein. Dass man Regeln ändern kann – das sollte mein Andenken sein. Dass man seine Prioritäten immer wieder mal überdenken muss, um sich erneut für sie zu entscheiden oder sie zu ändern, wenn sie veraltet und hinfällig sind – das sollte mein Andenken sein. Ich war berühmt zu Lebzeiten, und ich wurde damals schon als Heilige verehrt – dies erreichte ich mittels der Wahrhaftigkeit meines Herzens. Und doch erinnere dich meiner auch als Heilerin, denn dies war meine Berufung.

Finde nun du deine Berufung, und gehe diesen Weg mit Kraft. Aber sei weise, und erkenne den rechten Weg, denn dort, wo keine Kraft ist, wird deine Kraft verpuffen. Der Weg deiner Berufung wird dir Kraft abverlangen und dich im gleichen Moment stärken. Wenn dies nicht der Fall ist, bist du auf dem falschen Weg.

**Heilsamer Weg:**

Nutze die Kraft der Sternenklänge. Dieser hier verleiht dir Durchsetzungsvermögen und Ausdauer. Schreibe auf ein Pflaster »Mars – Ton D = 144,72 Hz«, und klebe dir dieses auf den Rücken, auf die Höhe deines Sonnengeflechts. Bete zu Hildegard von Bingen, und danke ihr für das Licht, das sie auf diese Welt gebracht hat. Bitte sie, dich auf den rechten Weg zu leiten.

## Hypatia von Alexandria

Ich war einst eine geachtete Philosophin und Naturwissenschaftlerin. Außerdem faszinierten mich die Mathematik und die Astronomie. Ich unterrichtete Studenten in der Alexandrinischen Schule, die das Herz der großen Bibliothek von Alexandria war. Ich war die erste Frau, der gestattet wurde, in diesem Heiligtum zu unterrichten und Vorlesungen abzuhalten. Mein Vater hatte mir vieles beigebracht über Mathematik und Astronomie. Er war ein wundervoller Mensch. In ganz Ägypten war ich eine hoch geachtete Frau, eine Berühmtheit. 415 n. Chr. wurde ich ermordet – meine Mörder hießen Dummheit, Fanatismus, Religion, Neid und Macht. Aber hierüber will ich mit dir nicht sprechen. Ich will zu dir sprechen, um dir meine lichtvolle Schwingung zu vermitteln, meine ganz eigene Kraft. Mein Vater hat mich vieles gelehrt, später war ich ihm in vielem weit überlegen. Mein Verstand war brillant. Aber, was ich zudem noch hatte, war mein Auftreten. So, wie wir auftreten, so sehen uns die Menschen und so fließen unsere inneren Energien. Mein Körper war aufrecht, meine Kleidung immer sauber und mein Körper gepflegt. Wie ist dein Auftreten? Erinnere dich an deine Verantwortung. Du bist ein Spiegel für die Welt und die Menschen. Was sehen sie, wenn sie in diesen Spiegel schauen. Die Welt spiegelt sich in dir. Also: Wie soll deine Welt sein? Aufrichtig, schön, bunt und lächelnd? Das wäre doch wundervoll. Wenn du denkst, das wäre ein zu banales Thema für einen so brillanten Verstand wie mich – oder gar für dich –, dann nimm hier und jetzt die Herausforderung an, den tiefen Sinn darin zu erkennen.

### Heilsamer Weg:

Für die nächsten sieben Tage mache dich jeden Morgen so zurecht, als hättest du an diesem Tag eine Verabredung mit jemandem, in den du frisch verliebt bist. Gehe aufrecht. Spüre dich und deinen Körper, spüre den Fluss der Energien in dir.

# Iduna

Ich bin Iduna, mein Name bedeutet »die Verjüngende«. In mir schwingt das ewige Licht der Erneuerung. Ewige Jugend ist ein Begehren der Menschen seit Anbeginn der Zeit, seit der Erschaffung der Zeit. Ich bin die Göttin der Jugend und der Fruchtbarkeit, und ebenso bin ich die Hüterin jenes Baumes, der die goldenen Äpfel der ewigen Jugend trägt. Nur den Göttern, also den göttlichen Energien, ist es erlaubt, von diesen Äpfeln zu speisen. Denke nicht, dass du nicht göttlich seist. Du allein zweifelst daran, niemand sonst. Finde den göttlichen Teil in dir, und ich werde dir einen goldenen Apfel – und somit die ewige Jugend – schenken. Nimm deinen göttlichen Teil an, triff eine bewusste, innere Entscheidung für diesen Teil. Glaube an seine Existenz, und vertraue darauf, dass er durch deine Augen leuchtet.

**Heilsamer Weg:**
Suche die Karte »Innere Göttin« aus diesem Set. Betrachte sie eine Zeit lang, dann lies den Text, und gehe den dort beschrieben »Heilsamen Weg«.

## Innere Göttin

Ein Gott oder eine Göttin ist immer eine schöpferische Kraft, das Licht der Tat. Doch ich bin das Weiche und Sanfte in dir. Wenn der Gott streng ist, bin ich, die Göttin, milde. Der Gott bringt Gesetze, ich bringe Gnade, und doch gehören wir zusammen. Wir sind das Männliche und Weibliche, das nicht getrennt werden kann, wir sind das Yin und Yang in dir. Der Gott ist das Einatmen, und ich bin das Ausatmen. Der Gott ist das Leben, und ich bin der Tod. Ich will dich jetzt an meine Kraft erinnern, eine Kraft, die dir die Angst vor der Dunkelheit nimmt. Denn wenn der Gott das Licht ist, bin ich die Dunkelheit. Öffne dich, und erkenne, dass Schwarz etwas Tiefes ist, etwas

Grenzenloses, etwas, was durch nichts beschmutzt werden kann. Erkenne, dass nur im Tod das ewige Leben gefunden werden kann. Ich bin eine stille Kraft – eine Kraft, die, wenn sie entfesselt ist, größer ist als jede andere. Ich bin das Mysterium allen Seins. In meiner Schwingung findest du die Antwort auf alle Fragen. Oft werde ich verkannt, falsch dargestellt und nicht mit meiner wahren Schwingung gefühlt, denn um dies zu tun, musst du wissen, wer ich bin. Ich bin alles, ich bin die Matrix, die dich durchdringt und alles trägt. Ich bin Ganzheit, ich bin der Anfang und das Ende. Ich bin in dir. Schließe Frieden mit der urweiblichen Kraft. Sitze still, und lausche. Alles, was du brauchst, wird zu dir kommen. Ich bin das Vertrauen.

**Heilsamer Weg:**

Verfasse ein Gebet, das du an die innere Göttin richtest. Dann kleide dich in Schwarz, setze dich in einen Raum, der nur von Kerzenlicht erhellt ist, und bete zu ihr. Spüre sie, spüre diese Kraft, und lasse alle Ängste los. Spüre ihre prickelnde Lebendigkeit. Erkenne, dass diese Kraft ein Teil von dir ist, und nutze sie zum Wohle aller Wesen und zum Behüten von Lady Gaia, unserer Erde.

# Innere Königin

Es ist an der Zeit, dass du mich spürst. Ich bin ein Teil von dir, ein Teil deines Seins. Ich bin das Urweibliche in dir, die alte Herrscherin. Meine Energie ist es, die dich mit der großen Mutter verbindet, mit der Erde. Ich bin die erdende Energie in dir. Du musst diese Energie nicht im Außen suchen. Meine Kraft ist der Quell des Lebens in dir. Ich bin das Nährende, das all deine Früchte wachsen lässt. Meine hohe Schwingung zeigt sich in allem, was natürlich in dir ist. Ich bin deine innere Natur. Ich bin die Hüterin deiner inneren Gärten, die deinem Herzen innewohnen. Innere Orte der Liebe, Orte der Zuflucht, der Stille und der Kraft. Ich bin deine innere Fruchtbarkeit, eine Quelle, aus der alles entspringt. Spüre mich, erwecke mich in dir. Mit mir erweckst du deine eigene Natur, deine Kreativität und unbändige Lebenskraft. Ich bin der unerschöpfliche Urgrund, aus dem heraus du immer wieder Neues erschaffst. Nimm mich wahr als ein mit Gaben und Geschenken gefülltes Gefäß. Ich zeige dir, dass du unendlich reich bist.

**Heilsamer Weg:**
Lerne zu vertrauen. Atme blaues Licht in dein Wurzelchakra, und verankere es dort. Wandle so dein Wurzelchakra von rot zu blau. Für eine neue Welt brauchen wir Frieden und das Vertrauen in die Themen des Wurzelchakras, beides kommt mit dem Blau.

## Innere Kriegerin

Kennst du mich? Kennst du meine Kraft? Ich spüre oft Ablehnung, weil ich die Schwingung von Krieg in mir trage, aber ich bin nicht nur deine Waffe, ich bin auch dein Schild. Niemand hält den Schild des Schutzes fester in Händen als ich, niemand ist furchtloser als ich, und keine Schwingung kann deine inneren Kräfte besser befreien, als ich es kann. Erinnere dich meiner, vielleicht wird einmal ein Tag kommen, da du meine Kraft brauchst, um andere zu schützen. Sicher hast auch du schon einmal Geschichten gehört wie die der Mutter, die ein Auto

anhob, um ihr verletztes Kind darunter zu befreien. Nicht das liebende Mutterherz hat das Auto angehoben, ich war es. Das liebende Mutterherz fühlt Angst, doch ich bin der Mut. Ich bin das Licht in dir, das ohne Angst ist. Es gab eine Zeit, da war ich sehr wichtig. Eine Zeit, in der ein wildes Tier Kinder oder eine Herde Schafe bedrohte. Da war ich es, die dir den nötigen Kampfgeist gab, um das wilde Tier zu vertreiben. Jede Frau war in tiefem Kontakt mit mir und dankbar und stolz darauf.
Vielleicht fragst du dich, was der Unterschied zwischen dem inneren Krieger und der inneren Kriegerin ist. Nun, es ist die Verbindung zu Sonne und Mond. Der innere Krieger steht im Licht der Sonne und ich im Licht des Mondes. Meine Stiefel haben leise Sohlen, meine Energie ist kühl, abwartend, weise. Seit Jahren halte ich immer wieder schweigend meinen Schild vor dich, ohne mein Schwert zu ziehen. Doch wenn ich es ziehe, dann nicht um zu drohen, sondern um zu durchtrennen, was dich verletzt, was dir oder anderen nicht guttut. Vielleicht denkst du jetzt, dass es dein Schutzengel wäre, der dich behütet. Ja, das stimmt, er behütet dich mit all deinen inneren Aspekten – von denen ich einer bin. Überwinde alles, was uns trennt, ich bin ein Teil von dir.

**Heilsamer Weg:**
Spüre deine innere Kriegerin. Lasse ihre kraftvolle Schwingung durch dich fließen. Spüre, wie geschmeidig sie ist, wie biegsam und voller Kraft. Sie kennt keine Starre, und ihr Herz ist voller Vergebung. Ihre Handlungen sind schnell, präzise und endgültig.

## Isis

Ich bin die Göttin der Auferstehung, des Lebens und des Todes. Doch von allen Kräften fließt durch mich am kraftvollsten die Macht der Magie, und so bin ich vor allem anderen die Göttin der Magie. Seit über 5000 Jahren beten Menschen zu mir und rufen mich und meine Kräfte an. Nicht alle von ihnen tun dies in der Absicht, Gutes zu bewirken. Meine hohe magische Schwingung verführt den schwachen Geist. Doch ich bin lichtvoll. Ich bin der hellste Stern am Himmel. Blicke zu mir auf, ich bin der Stern

Sirius, und ich schicke dir eine Leben spendende Kraft. Ich tue dies in jedem Augenblick. Doch ich stehe auch für die Gemeinschaft der Frauen, dies ist mit den Jahrhunderten in Vergessenheit geraten. Meine Zwillingsschwester Nephthys ist neben Hathor, Meschenet, Nut und Nechbet immer an meiner Seite. Wir wissen um die hohe Schwingung der Gemeinschaft, wir nutzen das Licht der Gefährtin, um ein noch helleres Licht zu erzeugen. Nephthys ist immer mit mir, sie ist ein Teil von mir. Sie ist sanft, voller Demut und unermesslicher Liebe. Ich bin für alle Göttinnen das geöffnete Gefäß der Magie. Ich bin die magische Kraft, die Leben gibt. Ich bin das Licht, das Schatten vertreibt. Doch wenn ich eine Farbe wählen müsste, würde ich nicht Weiß wählen, sondern Schwarz, denn ich gehöre nicht nur in die lichtvollen Welten. Meine Schwingung ist die der Urmutter. Ihr alle seid meine Kinder, auch die Gescheiterten, auch die, die verloren erscheinen, denn ich weiß, am Ende sind alle im Licht. Ich muss sie führen, das ist die Aufgabe einer Mutter. Als hellster Stern am Himmel leuchte ich für alle. Ich verurteile niemals, denn ich sehe das große Ganze. Lasse auch du dein göttliches Licht erwachen. Höre auf zu beurteilen, und verurteile nichts und niemanden. Gehe fortan den Weg der Meisterschaft – es ist ein Weg des Herzens, der Wahrheit und wahrer Größe.

**Heilsamer Weg:**

Höre jetzt auf, dich und andere zu verurteilen. Lege die Karte auf dein Herz, atme die Schwingung von Isis in dich hinein, und werde frei. Zeichne das Ankh-Kreuz, das Symbol des Lebens, in deine Handinnenflächen, und lasse die Energie in dich hineinfließen. Das Ankh in seiner Urtiefe ist wahre Magie. In ihm schwingt all das Wissen und die Weisheit der Akasha-Chronik, das ewige Leben und die Kraft der Fortsetzung.

## Kamelie

Meine Schwingung ist eine zarte, verletzliche Weiblichkeit. Ich stehe für Harmonie und Freundschaft. Ich wirke ausgleichend auf den menschlichen Hormonhaushalt und balanciere Allergien aus. Das Öl, gewonnen aus der Camellia oleifera, hat sehr starke Heilkräfte. Ich helfe bei Reflux, Sodbrennen und Geschwüren. Wunden auf der Haut heile ich sehr schnell, und ich

verhindere Infektionen. Ich schenke den Menschen eine große Menge an Omega-6- und Omega-9-Fettsäuren. Ich bin wertvoll und elegant.
Du hast diese Karte gezogen, um deinen eigenen Wert zu spüren. Du bist einzigartig und wertvoll. Du hast wie ich der Welt viel zu geben, den Menschen in deinem Umfeld. Erkenne deinen Wert. Erkenne, dass du ein Kind geboren aus der göttlichen Quelle bist und somit die göttliche Quelle in dir schwingt. Höre ab sofort auf, an dir zu zweifeln und dich mit deinen eigenen Worten und Gedanken kleinzumachen. Bringe mit meiner Hilfe Harmonie in dein Leben, in deine Beziehungen und in deine Freundschaften, und löse dich elegant von jenen Freundschaften, die keine sind.

**Heilsamer Weg:**
Schreibe »Camellia oleifera« auf zwei Pflaster, und klebe eins in deinen Nacken und eins auf dein Herz. Möge jedes Wort, das über deine Lippen kommt, aus Harmonie und Freundschaft geboren sein.

# Klara von Assisi

Als kleines Mädchen sagte ich einmal zu meinem Vater: »Ich bin mit Jesus verheiratet.« Er lachte mich aus, und ich sprach nie wieder davon. Nur nachts, wenn alles still war im Haus und meine Schwester Agnes zu mir ins Bett gekrochen kam, sprach ich ab und an darüber. Sie hat nie gelacht, mir immer zugehört. Als ich erwachsen wurde und die Familie darüber sprach, wen ich bald heiraten könnte, stieg Panik in mir hoch. Franz von Assisi trat in mein Leben, ich hörte ihn predigen und sah, wie frei er war, ungebunden und glücklich. Er lebte mit Gott, mit Jesus und seiner Mutter. Und so verließ ich meine geachtete und wohlhabende Familie. Franz schnitt mir mein wunderschönes, langes Haar ab und gab mir ein einfaches Gewand. Als die Schere die erste dicke Haarsträhne durchtrennte, spürte ich, wie Freiheit in mir Einzug hielt. Es war ein wundervolles Gefühl. Ich gehörte zu Jesus und seiner Mutter, ich wusste es, ich spürte es ganz tief in mir. Und ich wusste, Jesus liebte mich und würde immer über mich wachen, denn ich war einst seine Gefährtin, in einem anderen Leben. Damals trug ich den Namen Maria Magdalena. Ich habe ihm zu jener Zeit zwei Kinder geboren. Wie hätte ich einen anderen heiraten können? Dies war für mein Herz unmöglich. Meine Schwester Agnes, die ich in diesem Leben am meisten liebte, folgte mir nach, und kurz darauf alle weiblichen Verwandten, Tanten, Cousinen, Freundinnen und meine Mutter. Im Jahr 1240 wurde unsere Heimat von Sarazenen angegriffen, und die Menschen waren panisch vor Angst. Doch ich spürte Jesus in mir, und so trat ich dem feindlichen Heer auf der öden Landstraße allein entgegen, sie sahen mich und zogen davon. Mein tiefer Glaube an Jesus und seine Mutter hat mir noch einige Male derartigen, übergroßen Mut verliehen. Mit diesem Mut habe ich Wunder vollbracht, so sagt man. Aber war ich wirklich mutig? Wie kann man von Mut sprechen, wenn man keine Angst hat? Ich war nie mutig. Ich war immer nur ich selbst, und ich war mit jedem Atemzug mit Gott, mit Jesus und Maria. Ich war authentisch. Mein Leben war erfüllt. Im Jahre 1255, zwei Jahre nach meinem Tod, wurde ich heiliggesprochen. Doch meine Seele war schon längst auf dem Weg zum nächsten »Meilenstein« auf dem Weg zur Meisterschaft. Heute nennst du mich in deinen Gebeten auch Lady Nada. Und so will ich dich voller Liebe fragen:

Lebst du authentisch und im festen Glauben an die göttliche Quelle, an Jesus und Mutter Maria? Höre auf, dich zu verbiegen, um anderen zu gefallen. Sei du selbst, lebe dein Leben.

### Heilsamer Weg:

Atme rotes Licht in deine Nieren. Lege zusätzlich deine Hände auf sie, und setze die Schwingung von Wagemut frei. Visualisiere eine rosa-goldene liegende Acht in jeder deiner Nieren, und verankere sie dort. Mache dies eine Zeit lang täglich. Erwecke den Mut und die Kraft in dir, deinen eigenen Weg zu gehen. Harmonisiere alle gegensätzlichen Kräfte in dir. Und mache dir in Zukunft keine Gedanken mehr darüber, was andere über dich denken, denn es hat nichts mit dir zu tun.

# Lady Nada

Einst gab es eine Zeit von scheinbar unendlichem Glück. Ich hatte Hunderte von Schülerinnen, ich lehrte sie den Tanz des Lebens, den Tanz der Liebe. Das Zeitalter von Atlantis war auf seinem Höhepunkt angekommen, die Welt schien vollkommen. Meine Welt war vollkommen. Ich erinnere mich gerne daran, wie die kleinen Mädchen mit Blütenkränzen im Haar hinter mir herliefen und »Lady Nada, Lady Nada« riefen, und immer, wenn ich mich umwendete, rannten sie kichernd davon. Ich wurde verehrt, nicht nur von den Kindern, nein, von allen. Mein Sein war durchflutet von tiefer Weisheit und von einer tiefen Liebe zu allem, was ist. Ich saß oft tagelang im Tempel, und die Menschen strömten herbei, um mich zu sehen und mir zuzuhören. Ich sprach über die Liebe, über die Natur, über unsere täglichen Gedanken und wie klein diese oft sind. Ich sprach von einer fernen Zukunft, in der der Sohn Gottes geboren würde, und dabei liefen mir Tränen über das Gesicht. Meine Zuhörer waren noch mehr bewegt. Immer wieder hatte ich Visionen. Ich wusste, dass ich einmal die Gefährtin dieses einzigartigen Menschen sein würde, und ich bekam eine Ahnung von dem Leid, das ich ertragen würde. Doch ließ ich es nicht zu, dass dieses Leid, das nicht in mein Jetzt gehörte, mich einnahm. Ich lebte im Jetzt, für die Mädchen und jungen Frauen, die ich zu den größten und geachtetsten Tempeltänzerinnen ausbilden würde, die es je gab.

Heute spreche ich zu dir, mein Herz schlägt in diesem Augenblick nur für dich. Lasse nicht zu, dass Leid aus der Vergangenheit oder Zukunft das göttliche Licht, das du im Jetzt bist, trübt. Lasse die Vergangenheit ruhen, und lebe jetzt.

### Heilsamer Weg:

Sprich den Namen »Lady Nada« mehrfach leise aus. Spüre die Schwingung dieser Meisterin. Spüre sie in dir, und lasse ihr Licht und ihre Weisheit durch dich leuchten. Höre auf, mit deinen Gedanken in der Vergangenheit zu verweilen und auch in die Zukunft zu schweifen, lebe jetzt. Übe dich darin, den Moment zu spüren – deinen Körper, den Boden unter deinen Füßen, das Licht, die Luft, den Raum um dich herum.

# Lady Portia

Nimm meine Hand, und mache dich bereit, jetzt durch eine innere Pforte der Weisheit zu gehen. Ich bringe dir das höchste Licht der Einweihung, ich bin Zerstörung und Verwandlung. Ich bin das magische Licht, das dich erhebt. Die Trugbilder deiner selbst geschaffenen Schatten zerschlage ich mit dem magischen Schwert, das den Namen »Khan« trägt. Dies bedeutet »Anführer« oder »Befehlshaber«. Ich lehre dich Mitgefühl für alles, was ist, auch für die Schatten und Dämonen. Denn wisse: Indem du ihnen dein Mitgefühl schenkst und ihren Namen aussprichst, beraubst du sie ihrer Macht über dich. Ich wandle mit dir Seite an Seite durch das dunkle Tal deiner inneren Ängste und führe dich in das helle, gleißende Licht der Liebe. Ich schenke dir meine Kraft, meinen Mut. Mache dich bereit für ein neues Licht, für eine neue und befreite Schwingung in dir.

**Heilsamer Weg:**
Du trägst in deinem Herzen eine alte Angst, geboren aus Enttäuschung und Verletzung. Atme tief ein und aus, straffe deine Schultern, richte deinen Körper auf, und nenne die Angst bei ihrem Namen. Sage ihr, dass sie nun keine Macht mehr über dich hat. Schreibe die Angst auf einen Zettel, und verbrenne ihn. Mache daraus eine kleine Zeremonie, und rufe dabei Lady Portia an.

## Lilie

Ich bin ein lichtvolles Symbol für eine Herrschaft des Himmels, eine Herrschaft tiefster Weisheit, göttlicher Gnade und Reinheit. Mein Name, Lilie (lat. *Lilium*), bedeutet »Quintessenz«. Meine Schwingung ist sowohl der Anfang als auch das Ende. Ich komme zu euch bei eurer Geburt, und ich ziere euer Grab. Ich schmücke Hochzeiten, und ich wurde einst von Erzengel Gabriel an Maria überreicht. Mit meinem Duft dringe ich in Bereiche deines Geistes vor, die sich ebenso entfalten wollen wie die Blätter meiner Blüte, um zwischen den Welten zu wandeln, Schleier zu durchdringen, um in Kontakt zu gehen mit allem, was ist. Doch in mir und meiner höchsten Schwingung liegt ein Geheimnis versteckt. Meine Blüte offenbart die Gesetzmäßigkeit des Sechszacksterns. Wenn ich meine Blüten entfalte, erkennst du diesen Stern. Er ist ein geheimnisvolles Symbol, das von vielen genutzt wurde und wird. Die deutschen Zünfte der Bierbrauer und Mälzer kannten und nutzten ihn. Er zierte das persönliche Siegel von Helena Petrovna Blavatsky und das Siegel der von ihr mitbegründeten Theosophischen Gesellschaft. In den Sagen des tantrischen Hinduismus schmückt es die Altäre als die Kraft, die das Männliche und das Weibliche verbindet. Du findest diesen Stern im Judentum, im alten Ägypten usw. Ebenso findest du Abbildungen von mir auf der ganzen Welt und zu jeder Zeit.

In mir schwingt der Sechszackstern in seinem ursprünglichen Licht, als ein Übergang, als ein Weg. Ich bin der Anfang und das Ende, der Übergang in ein höheres Bewusstsein. Ich schwinge zu jeder Zeit im Einklang mit der Kraft der Mondgöttin, und so habe ich Macht über die Gewässer, über das Wasser in dir. Ich bin voller Magie und eine wahre Herrscherin. Ich komme jetzt zu dir, um dich zu berühren, um dich berührbar zu machen. Verschließe nicht weiter deinen Geist und dein Herz. Verletzungen sind nur zu vermeiden, indem du durchlässig wirst – auf demselben Wege werden sie transformiert. Mit inneren Mauern sagst du oftmals Nein zum Licht und verletzt damit dich selbst, denn alte Verletzungen wachsen hinter deinen Mauern und drohen, dich zu beherrschen. Ich will dir die Herrschaft des Himmels schenken, denn dies bedeutet frei und glücklich sein.

Heilsamer Weg:
Meditiere mit der Lilie. Atme ihren Duft, spüre die Magie des Sechszacksterns, öffne deinen Geist, und schließe Frieden mit deinem inneren Mysterium, denn du bist ebenso rätselhaft wie die Lilie. Die Lösung liegt im Gefühl, in der Reinheit der Liebe. Nimm die Kraft der Lilie in dich auf, visualisiere sie in all deinen Chakren. Schreibe das Wort »Lilium« auf ein Pflaster, und klebe es auf den Puls deines linken Handgelenks.

# Luna

Ich bin die Leuchtende. Mein Licht ruft das Weibliche in dir hervor. Das Licht meiner Schwester Venus beschwört eine erotische Energie, eine Energie der Hingabe und der Lust. Ich hingegen entfache die uralte Weisheit des Weiblichen, den weiblichen Teil deines Seins, der nach spirituellen Erfahrungen strebt, nach Erleuchtung. Ich wecke alte Instinkte und Intuition in dir. Jeden Monat öffne ich meine Tore der Weisheit für dich, es sind die drei Tage bis Vollmond. In dieser Zeit fließt ein Licht zu dir, das mit den höchsten Energien angereichert ist. Es wird Zeit, deine Magie wieder zurückzuholen und alle Ängste davor abzulegen, denn die Angst gehört nicht in dein Herz. Deine Magie ist mit mir verbunden, sie wird gebraucht. Setze sie ein zum Wohle aller, erobere dir diese Macht zurück. Sie ist ein Teil von dir. Erinnere dich an Avalon. Erinnere dich daran, dass du einst durchdrungen warst von Magie und dass du durch sie frei warst. Hole zurück, was zu dir gehört, und werde frei.

**Heilsamer Weg:**

Bade in den drei Tagen vor Vollmond im Licht des Mondes, und sprich dabei das Wort »Avalon« deutlich aus. Bitte darum, dass das Licht der Heiligen Insel in deinem Herzen erwachen möge, um jetzt dort zu leuchten. Möge dein innerer Zauber erneut erwachen, um der großen Göttin und der Mondgöttin zu dienen als Priesterin/Magier der neuen Zeit.

## Magnolie

Mit meinen üppigen Blüten erfreue ich dich und kündige dir den Frühling an. Wenn ich mich in all meiner Pracht entfalte, will ich dir sagen, dass der Frühling auch in dir erwacht. Meine Schwingung ist die Schönheit und die weibliche Intuition. Entschleunige dein Leben, spüre den Frühling in dir, fühle seine Schwingung. Es ist die Zeit der Liebe und Sinnlichkeit, die Zeit der Partnersuche und auch eine Zeit, den Partner neu zu entdecken. Mein Duft ist einer der schönsten und wundervollsten Düfte auf dieser Welt, voller Harmonie, einem vollkommenen Lied gleich. Mit meinem Duft helfe ich dir, alte, festgefahrene Gefühle zu lösen. Ich versetze dich in eine prickelnde, sinnliche Stimmung. Ich berühre dich und öffne dein Herz. Ich reiße alle Mauern nieder, die deine Kreativität begrenzen wollen, ich gebe dir Flügel zum Fliegen. Ich befreie deine Fantasie. Nutze sie für dein Leben, für deine Partnerschaft. Nutze sie gegebenenfalls, um einen Partner zu finden, und nutze sie für die körperliche Liebe. Lerne von mir, dich dem sinnlichen Genuss hinzugeben. Lerne von mir, dich ab und an fallen zu lassen, um nur zu sein. Entdecke deine Sinnlichkeit.

### Heilsamer Weg:

Besorge dir Magnolienblütenöl, und benutzte es täglich in einer Duftlampe. Nimm ein Bad: 7 Topfen ins Badewasser, dazu ein Becher Schlagsahne (oder, wen du vegan lebst, Kokosmilch) und zwei große Löffel Honig. Mache dir ein Körperöl: 7 Tropfen Magnolienblütenöl auf 10 ml Jojobaöl.

# Maria

Ich bin Maria, und ich habe eine Botschaft für diese Welt. Du erinnerst dich meiner als Mutter Maria, und wenn du unglücklich bist oder Schutz brauchst, dann rufst du mich bei diesem Namen. Ich blicke auf die Welt und sehe alles – das Leid ebenso wie das Glück, den Krieg ebenso wie die Liebe. Mit unermesslicher Liebe schaue ich auf eure Kinder, denn sie alle sind auch meine Kinder. Jeder Mann und jede Frau sollte ebenso empfinden, denn wir alle sind verantwortlich für sie. Früher haben Dorfgemeinschaften bereitwillig die Verantwortung für alle Kinder übernommen. Die Mütter und die Väter haben sich gegenseitig unterstützt. Diese Form der Gemeinschaft ist selten geworden. Doch eure Herzen sind noch die gleichen. Und so bitte ich dich, bete für alle Kinder dieser Welt – jene, die unsägliches Leid ertragen, jene, die nicht im Schutze einer intakten Gemeinschaft aufwachsen. Bete für diese Kinder, und bitte darum, dass sie im Erwachsenenalter die nötige Kraft aufbringen mögen, trotz allem einen

Pfad der Liebe zu gehen. Einen Pfad des Friedens. Bete für die Kinder in dieser Welt, aber bete auch für das Kind in dir – auch dieses wurde verletzt, hat Angst und möchte gehalten werden. Erinnere dich an das Kind, das du einst warst, und gönne dir die Zeit, zu spielen, zu tanzen, zu malen, an einem Bach zu sitzen und mit Steinen und Stöcken einen kleinen Damm zu bauen. Gönne dir einen Tag lang, Kind zu sein, und du wirst sehen, wie viel erlösende Kraft darin liegt. Erinnere dich, dass du als Kind immer wusstest, dass ich hinter dir stehe, um dich zu schützen. Hole dieses Gefühl zurück in dein Jetzt, es wird dich stärken und trösten. Ich bin immer für dich da. Bringe mehr Leichtigkeit in dein Leben, es liegt in deiner Hand.

### Heilsamer Weg:

Spiele für ein paar Stunden an einem Bach. Wenn du möchtest, nimm einen Freund oder eine Freundin mit. Hole dir das Gefühl deiner Kindheit zurück, und lasse dich vollkommen darauf ein – das Gefühl, im Hier und Jetzt zu sein, fernab jeglicher Zeit. Höre auf, zu denken, und spüre das Wasser, die Bäume, die Erde und die Leichtigkeit des Seins.

## MORGAINE

Mein Leben war von Hingabe geprägt. Als Priesterin von Avalon gab ich all meine Liebe der Heiligen Insel und dem Dienst als Priesterin hin. Doch das Schicksal verlangte mehr von mir. Ich sollte zu einer Priesterin mit kriegerischem Herzen werden, erzogen im alten Glauben, um meinem Halbbruder, König Artus, in den dunklen Stunden des Krieges beizustehen. Ich habe unzählige Tränen vergossen. Doch nicht ein einziges Mal ist das Licht der Hoffnung, das Licht meines tiefen Glaubens an eine bessere Welt erloschen. Nie habe ich an der Weisheit unserer großen Mutter oder an der göttlichen Quelle allen Seins gezweifelt, und auch an mir selbst nicht. Jederzeit war ich bereit, alles zu geben – auch mein eigenes Leben –, um Avalon, die Priesterinnen und Artus und seine Ritter zu schützen. Trotzdem habe ich zuletzt alles verloren – alles, was ich liebte, alles, wofür ich kämpfte, und auch meine Hoffnung. Doch mit dem letzten Atemzug meines Lebens, als sich das helle Licht vor mir öffnete und ich Merlin sah, der dort in der anderen Welt auf mich wartete, wusste ich, dass es nicht umsonst gewesen war. Ich wusste plötzlich, dass alles einen Sinn hat, dass alles dem großen Ganzen dient, und dass jeder Gedanke, jedes Wort, jede Träne und jedes Lachen unsere Welt verändert. Lebe in diesem Bewusstsein. Gehe deinen Weg, und vergeude keinen Moment, denn das, was am kostbarsten ist, vergeht so schnell – dein Leben.

**Heilsamer Weg:**

Morgaine bringt Mut und das Licht von Avalon in dein Leben. Visualisiere, dass du auf der Heiligen Insel stehst, und lasse die Schwingung von Avalon in dich einfließen. Triff mutige Entscheidungen, und gehe ungehindert deinen Weg. Zusätzliche Unterstützung dafür bekommst du vom Gänseblümchen, denn dieses hat die Schwingung, uns auf unseren Lebensweg zu bringen. Nimm ein Pflaster, schreibe »Bellis perennis« (lat., *Gänseblümchen*) darauf, und klebe es auf deine Brust, auf dein Herz. Besorge dir Gänseblümchentee. Trinke ihn, wie auf der Verpackung angegeben. Doch wenn eine Vollmondnacht bevorsteht, gieße den Tee mit lauwarmen Wasser auf – 1 Esslöffel Gänseblümchen auf 1 Liter Wasser –, und stelle dein Gefäß mit dem Tee nach draußen, in das Licht des Mondes. Lasse das

Gefäß die ganze Nacht dort, 8–10 Stunden. Dann segne den Tee mit deinen eigenen Worten, mit der Kraft und dem Mut von Morgaine. Segne ihn mit dem heiligen Licht von Avalon, gieße ihn durch ein Sieb, koche und trinke ihn.

## Nemesis

Ich bin die Göttin des gerechten Zorns. Ich bin gerecht, und ich richte mit meinem Licht. Hochmut, Selbstüberschätzung und Selbstsucht dürfen aus dieser Welt weichen, sowie die ewige Sucht, helfen zu wollen, ohne dass darum gebeten wurde. Viel Übel ist auf der Welt zu finden, ich sehe alles. Ich bin eine starke Macht, ich halte das Gleichgewicht im Universum und auf eurer Erde. Glück und Recht bringe ich dir, wenn dein Leben gerecht und in Liebe schwingt. Doch bin ich auch einem Engel gleich. Wer um Vergebung bittet, wird sie erhalten. Wer seine Schwächen erkennt, wird das Licht der Unterstützung empfangen. Betrachte dein Leben! Wo handelst du unrecht? Nutze den Moment. Vergib dir, und so will auch ich vergeben. Schaue dir deine Schwächen an, bitte um das Licht der Erlösung. Wenn du deine Schwächen mit Demut und Vertrauen erlöst, werden sie ihr wahres Licht offenbaren, denn sie sind deine größten Gaben. Rufe mich an. Ich helfe dir, damit du dir selbst als Held oder Heldin gegenübertrittst. Deine Welt braucht dringend Helden und Heldinnen. Wir, die alten Götter, sind Energiefelder, aus denen das Licht von Mut und Kraft strahlt. Nutze diese Felder, wir sind die Schwingung, die deine Tatkraft freisetzt.

### Heilsamer Weg:

Bete das Vaterunser. Jesus hat uns dieses Gebet gelehrt. Spüre die Kraft der Erlösung darin – auch die Erlösung deiner Schwächen und Defizite. Erkenne sie, und heile sie – es beginnt mit der Entscheidung, es tun zu wollen, und höre ab sofort auf, über sie zu jammern.

## NEPHTHYS

Mein Name ist Nephthys. Ich bin die Zwillingsschwester von Isis, mit der mich ein starkes Band der Liebe verbindet, aber auch ein Band, gewoben aus Macht und Magie. Ich bin die Göttin der Geburt und des Todes. Doch vor all dem bin ich die große Göttin des Südens, des Elements Feuer, des Elements der Zerstörung und Erneuerung. Dieses Element ist die Kraft in dir, die jeden Zweifel vernichtet, um Neues und Großes hervorzubringen. Wenn du bereit bist, eine bewusste Entscheidung zu treffen, etwas Altes zu zerstören oder loszulassen, um einen Neuanfang zu wagen, dann bin ich an deiner Seite, helfe mit meinem Licht. Es ist an der Zeit. Folge dem Pfad der Helden. In unzähligen Geschichten und Legenden wird dir von ihnen berichtet. Sie sind dir vorausgegangen, mit ihrem Licht und ihrem Mut. Wage einen Neuanfang, beginne in dir. Lasse ein zerstörerisches, altes Muster in dir los, verbrenne es – und dem Beginn einer lichtvollen Zeit steht nichts mehr im Wege.

**Heilsamer Weg:**
Welches zerstörerisches Muster ist in dir? Schreibe es auf einen Zettel. Trage diesen Zettel für drei Tage an deinem Körper, auch in der Nacht. Denke in diesen Tagen über das Muster nach. Wie lange hast du es schon? Was war, als du damit anfingst, warum trägst du dieses Muster in dir. Lasse in den drei Tagen die Schwingung des Musters in den Zettel fließen, dann mache ein Verbrennungsritual. Rufe dafür Nephthys und Isis zu Hilfe, und bitte sie, dich von ihm zu befreien.

## Nike

Mein Name ist Nike, das bedeutet »Sieg«. Ich bin eine Siegesgöttin. Du hast diese Karte gezogen, weil du in deinem alltäglichen Leben, jetzt, die Möglichkeit hast, einen Sieg zu erringen. Meine Schwingung fließt zu dir, um dich zu einem ersehnten Ziel zu führen. Auch die Überwindung innerer Grenzen ist ein Sieg. Ich will dich lehren, die kleinen Erfolge und Siege deines alltäglichen Lebens wertzuschätzen. Wenn du einem Kollegen im Büro hilfst, ist es ein Sieg der Menschlichkeit. Wenn du die Probleme deines Kindes in der Schule löst, ist es ein Sieg der Fürsorge. Dies sind Siege, bei denen es keine Verlierer gibt. Das ist mein Licht, meine Schwingung. Die größten Siege, die du erringen kannst, sind jene, bei denen Wachstum für dich und andere entsteht. Im Inneren oder im Äußeren. Ich helfe dir dabei, den Sieg über deine Glaubenssätze, Ängste und Süchte zu erringen. Glaube an mein Licht, glaube an deinen Sieg, und er wird zu dir kommen.

**Heilsamer Weg:**

Konzentriere dich auf deinen Sieg, auf dein Ziel. Verbinde dich mit Nike, hülle deinen Sieg – auch wenn er noch weit in der Zukunft liegt – in Nikes Licht, und sieh, wie sie den Lorbeerkranz darauf legt. Wiederhole diese Visualisierungsarbeit mehrfach.

## Oonagh

Einst war ich die Frau eines Anführers der Elben, eines gerechten und weisen Mannes. Ich liebte die kleinen Völker dieser Welt. Ich unterrichtete die Feenkinder im Gesang, und die Kinder der Zwerge lehrte ich den Tanz. Als die Elbenvölker die Erde verlassen sollten, weinten die Kinder der kleinen Völker, und mein Herz wurde mir schwer. An einem heiligen Ort bat ich die Götter aller Welten hierbleiben zu können. Sie erhörten mich, und ich wurde zu einer Fee. Durch diese Wandlung wurde mir ein göttlicher Ton zuteil, ich wurde zur Königin

der Feen und zur Göttin der Magie. Meine Schwingung ist Hingabe. Ich bin aus allen Elbenvölkern die Einzige, die hier geblieben ist – bis auf einige, die nur zur Hälfte elbischer Abstammung waren. Ich habe meinen Mann und mein Volk verlassen, um bei den kleinen Völkern zu bleiben – weil mein Herz dies wollte. Keiner verstand mich, doch es war mir egal, ich wusste, es war richtig.
Hörst du auf dein Herz? Hast du überhaupt Kontakt zu deinem Herzen? Über die Hingabe im Außen findest du Kontakt zu ihm. Die Stimme deines Herzens ist leise. Die andere Stimme, jene, die immer so laut ist und viel zu viel jammert, dies ist die Stimme deines kleinen Ichs. Höre auf, dieser lauten Stimme zuzuhören. Gebiete ihr, zu schweigen, und höre nur die leise Stimme. Sie erzählt von schönen Dingen, von Liebe, von Hingabe und von der großen Göttin, dem großen Gott. Lasse dein Leben ein Leben voller Hingabe sein, und eine göttliche Liebe wird dich durchfluten.

### Heilsamer Weg:

Übe dich in Hingabe, beginne bei ganz alltäglichen Dingen – beim Wäscheaufhängen, beim Staubsaugen, beim Fensterputzen. Nimm bei diesen Arbeiten die Dinge wahr, die du berührst, und sei mit deiner Aufmerksamkeit ganz bei dem, was du tust.

## Pallas Athene

Ich bin eine Göttin, Tochter des Zeus. Lange haben die Menschen uns verehrt und auch gefürchtet. Dann sind die alten Götter mehr und mehr in Vergessenheit geraten, doch unsere Schwingungen gehören zu dieser Welt. Unsere Namen haben nichts an Kraft verloren, und unsere Energien können jederzeit freigesetzt und genutzt werden. Ich bin eine Göttin, eine Kriegerin, eine Beschützerin, und ich bin ein klarer, brillanter Verstand. Ich bin listig und intelligent wie die Schlange, und meine Schwingung ist höchste befreite Weiblichkeit, einer Urkraft gleich. Oft sieht man mich mit einer Eule, sie ist eine Freundin, und sie zeigt dir eine meiner verborgenen Kräfte: Ich sehe in der Finsternis genauso gut wie im Licht. Die Eule findet verlorene Seelenanteile und holt sie zurück. Die Schwingung und die Fähigkeit der Eule ist auch, eine Seele, die den Körper verlassen hat, wieder in den Körper zurückführen. Dies geschieht nicht oft, aber doch das ein oder andere Mal ist es nötig. In tiefer Verbindung mit der

Eule kann auch ich mit meiner Schwingung Seelenanteile zurückholen, die du in einem anderen Leben zurückgelassen hast. Wisse: Es gibt keine Zeit, alles ist jetzt. Und so bringe ich aus einer parallelen Welt diesen Teil in dein Hier und Jetzt. Du weißt, von welchem Anteil ich spreche. Du fühlst, dass etwas fehlt. Ich bin eine Hüterin, und so werde ich diesen Seelenanteil sicher leiten. Er kommt zu dir zurück, geheilt in meinem göttlichen Licht, befreit durch die Kraft der Kriegerin, und im Licht der Erkenntnis, dass es Richtig und Falsch nicht gibt – eine Erfahrung ist eine Erfahrung, bewerte sie nicht. In jeder Erfahrung, in jeder Begegnung liegt ein Geschenk. Eine neue Welt will entstehen, und all deine Erfahrungen werden gebraucht, all dein Licht und all deine Weisheit.

**Heilsamer Weg:**

Nimm die Karte zwischen deine Hände. Öffne deine Handchakren, und rufe Pallas Athene an. Bitte sie um ihre Gabe, alles zu verstehen. Bitte sie, alle Seelenanteile, die jetzt richtig und wichtig für dich sind, zurückzubringen. Atme ihren Namen durch all deine Chakren. Wiederhole dies mehrfach in den nächsten Tagen.

# Perle

Ich trage von allen Dingen und Wesen auf der Erde die höchste weibliche Energie. Mein Schimmer ist sanft und matt wie das Licht des Mondes. Ich bin aus dem Meer geboren, ich bin vollkommene Reinheit. Und ich schenke dir die Schwingung von Romantik und schmücke dich mit meinem Zauber. Als Lichtbringer in höchster Vollendung dringe ich tief in deine Chakren ein und löse dort Blockaden. Mit meiner Sanftheit und mit der Kraft des Meeres sprudle ich sie aus deinen inneren Tiefen hervor und öffne dein Verständnis dafür, dass Freunde nur dann Freunde sind, wenn sie dich lieben, so, wie du bist. Mit deinen Bedürfnissen und Fehlern, mit deinem Licht und deiner Liebe. All deine Probleme werden in ihrer Ursache erkannt, gelöst und geheilt. Tränen werden dabei fließen, aber das ist gut, denn es bedeutet Loslassen und Reinigen. In all meinen Schattierungen ist meine Schwingung gleich groß, doch als schwarze Perle ist meine Kraft unübertroffen.

**Heilsamer Weg:**
Trage eine Perlenkette, oder lasse dir eine Mala aus Perlen anfertigen. Denke daran, diese regelmäßig in einem Schälchen Salz zu reinigen, und sorge dafür, dass sie niemand außer dir berührt. Lege außerdem die Karte bei deinen Meditationen regelmäßig auf alle deine Chakren. Visualisiere, wie eine Perle in jedes hineinfällt und ganz tief hinuntersinkt.

## Rose

Ich bin die Königin aller Blumen. Ich bin schön. Ich bin ein Zeichen der Verschwiegenheit, der Liebe und der Leidenschaft.
Mein Duft berührt dich, und doch … mit meinen Dornen erinnere ich dich an die Dualität und an die Vergänglichkeit der äußeren Schönheit, damit du dich zwar an ihr erfreust, aber dich nicht in ihr verlierst. Die wahre Schönheit ist jene, die man mit dem physischen Auge nicht sehen kann, sie

liegt verborgen im Inneren. Sie ist der Klang deiner Seele. Das Wissen um meine heilende und schönheitsfördernde Wirkung existierte schon lange vor unserer jetzigen Zeitrechnung. Das Öl, das aus meinen Blütenblättern gewonnen wird, hilft bei Bronchitis, trockener und entzündeter Haut, Geschwüren, Herzrasen, Depressionen, Ängsten und noch vielem mehr. Mein Duft harmonisiert deine Gefühle, ich löse behutsam Blockaden und unterstütze den Prozess des Loslassens – daher ist meine königliche Anwesenheit bei einer Geburt genauso wichtig wie beim Sterben. Als Tee zubereitet reinige ich dein Blut, stärke Herz und Nerven und vertreibe Schwindel. Als Bad oder Umschlag heile ich Wunden. Doch ich will dir eine weitere Seite von mir offenbaren: Wenn ich meine Blüten entfalte, besitzt meine Schwingung eine besonders nährende Eigenschaft. Wie es sich für eine Königin gebührt, trage ich das Licht von Fülle und Reichtum in mir und nähre dich damit. Öffne dich für meine Schwingung, und werde reich. Fühle dich genährt – fühle dich reich und *er*füllt, anstatt *ge*füllt.

### Heilsamer Weg:

Stelle Rosen in jeden Raum deines Zuhauses, und stelle sie in deine inneren Räume. Visualisiere Rosen in deinen Chakren, jedoch lege dich nicht auf eine Farbe fest, sondern schaue, wie sich die Rosen in dir zeigen. Lasse deine inneren Rosen erblühen. Nimm dir die Zeit, du nährst dich dadurch von innen heraus.

## Schwertlilie

Ich komme heute zu dir, um die tiefsten Wunden deiner Seele zu heilen. Ich helfe dir, ein traumatisches Erlebnis loszulassen. Meine Kraft ist groß, und meine Schwingung ist reinigend, am stärksten wirke ich auf dein Blut. Deine seelischen Wunden sind in deinen Zellen gespeichert, dort wirke ich für dich. Mein Licht fließt am besten über dein Drittes Auge ein und verteilt sich von dort aus in deinem Zellgedächtnis, um zu erlösen, um zu befreien, auf dass du alle niederen Energien in dir und in deinen Gedanken transformieren kannst. Ich berühre deinen Geist, und ich verbinde dich mit Lady Gaia, deiner großen Mutter, die dich trägt und nährt, jeden Tag. Mit meiner Schwingung trage ich dich davon in das Land der Träume und der Fantasie, auf dass du dort aus der Quelle der Kreativität trinken mögest. Altes ist vergessen, Neues wird kommen, und jetzt bist du frei.

### Heilsamer Weg:

Arbeite mit der Affirmation »Ich bin die göttliche Freiheit in Tätigkeit auf Erden«. Lege die Karte an dein Drittes Auge. Visualisiere die Schwertlilie darin. Lasse die Energie deines traumatischen Erlebnisses über deine Nervenbahnen und Meridiane aus deinen Zellen über Fußsohlen und Fingerspitzen abfließen – lasse dir Zeit. Wenn du die Möglichkeit hast, setze dich in der Natur vor eine Schwertlilie, und verbinde dich tief mit ihr über dein Drittes Auge. Bitte um Erlösung aller niederen Energien in dir und in deinen Gedanken.

## Venus

Mein Name ist allen wohlbekannt. In ihm schwingt etwas Geheimnisvolles, eine geheime Erotik und Lust. Viele nennen mich die Göttin der Schönheit, doch viel mehr bin ich die Göttin der sinnlichen Begierde. Ich umhülle dich mit meiner Schwingung, um dich an deine Geheimnisse zu erinnern, geheime, sinnliche Erotik. Gib dir und der Venus in dir etwas mehr Raum, spüre die Energien deines Körpers – sie verlangen danach. Du findest mich leuchtend am Himmel, jede Nacht sende ich mein Licht und meinen Ton zu dir. Spüre mich in dir und um dich herum, denn ich sage dir: »Du bist wunderschön«.

**Heilsamer Weg:**

Schreibe den Ton der Venus (Venus – Ton A = 221,23 Hz) auf vier Pflaster. Eins klebst du auf deine Herzgegend, zwei auf dein zweites Chakra, vorne und hinten am Körper – lasse die Pflaster Tag und Nacht am Körper. Ein weiteres Pflaster kommt in der Nacht auf dein Drittes Auge, das Auge der Erkenntnis. Mache dies für mindestens 21 Tage.

## Vivian

Hörst du den Ruf, den Ruf deiner Seele, ihre tiefste Sehnsucht? Ich bin Vivian, Hohepriesterin von Avalon, und ich sage dir: Die Heilige Insel ruft nach dir. Deine eigene innere lichtvolle Magie ruft nach dir. Deine Seele will sich offenbaren und aufleuchten in dir. In deinem Blick, in deinem Gang, in deiner inneren und äußeren Haltung. Sie will, dass du verstehst, dass die Magie der Stoff, die Matrix ist, die euch verbindet – auf dass du deinen Seelenplan erkennst, verstehst und ihn dann auch umsetzen kannst. Jetzt ist der Moment, jetzt kannst du es spüren, deine Seele umhüllt dich wie ein flüssiges Gewebe. Sie ist lebendig. Sie ist das, was dich göttlich macht. Spüre sie, sieh sie, höre sie. Von nun an möge deine Seele dir den Weg weisen. Für eine Priesterin von Avalon oder einen

Schüler Merlins war dies leicht. Avalon ist der Ort, an dem deine Seele das Umfeld findet, um in ihrem glanzvolle Zauber zu schwingen. Das Avalon in dir, in deinem Herzen – erschaffe es, folge dem Weg des alten Glaubens, der keine Religion ist. In Avalon findest du die Hingabe und kannst dein wahres Sein spüren. Zweifle nicht an dir und deinem Licht, zweifle nicht an deinen lichtvollen Gaben, ich habe es auch nie getan.

**Heilsamer Weg:**

Erwecke die heilige Insel Avalon in dir. Du findest sie in deinem Herzen. Beschäftige dich mit diesem Thema, erinnere dich.

# Wald-Kiefer

Ich schwinge im höchsten weiblichen Licht. Ich bin der Baum der göttlichen Geburt und erwecke in dir deine Göttlichkeit. Ich bin geweiht mit den hohen Schwingungen der großen Mutter und dem Licht von Artemis. Deine göttliche Geburt beginnt mit der Annahme deines Lebens in der dualen Welt. Hier ist mein Reich, hier bist du jetzt, hier will deine innere Göttlichkeit sich ausdrücken. Dein Atem zeugt vom Leben und Sterben, und so atme einmal bewusst ein, sage Ja zu allem, was ist, und beim Ausatmen lasse das Leben los, atme ein und lebe. Mein Duft ist das, was dich mit deinem göttlichen Kern verbindet. Atme mich ein und aus, so will ich dich berühren, will dich erwecken in neuem Licht. Ich verbinde dich wie keine andere Energie mit dem Element Luft, dem Meisterelement, dem Beherrschen der Gedanken. Die heiligen Frauen und Männer deiner Ahnen wussten um meine Macht, nun nutze du sie. Atme ein, und nimm dich und dein Leben an. Nimm deinen göttlichen Kern an, und zeige ihn fortan der Welt. Es nutzt niemandem, wenn du dein hohes Licht unter den Scheffel stellst. Freue dich, auf dieser Welt zu sein, jeden Augenblick.

**Heilsamer Weg:**

Meditiere an einer Wald-Kiefer, atme ihren Duft ein. Nimm Bäder mit diesem Duft, und versuche, ihn in den nächsten Wochen auch in dein Heim zu bringen, indem du Kiefernadeln sammelst und damit Aufgüsse zum Inhalieren machst. Auch ein ätherisches Öl ist dafür geeignet.

# Weide

Ich schwinge im Licht der Mondmagie und verbinde dich mit Luna und ihrer Kraft. Ich bin eine große Heilerin. Meine Borke kann getrocknet als Tee getrunken werden, ich senke Fieber, lindere Schmerzen und vieles mehr. Auch als Tinktur bin ich wertvoll. Meine Magie ist kraftvoll, und sie führt dich zur Selbstverantwortung. Mein Licht will dich befreien aus deinem Opferdasein. Öffne dich für meine Weisheit und mein Licht, und erkenne, dass für alles, was dir in deinem Leben nicht gefällt und dir nicht guttut, nicht das Außen verantwortlich ist. Du gehst auf dem Weg deiner Seele, es ist dein Weg. Wisse: Du selbst hast diesen Weg gewählt, um zu wachsen, um zu erkennen, wer du bist, und um die Kraft in dir zu spüren. Meine befreiende Magie ist die Schwingung von Dankbarkeit. Wenn du in dir alles erlöst, was es zu erlösen gibt, dann erstrahlst du im Licht einer Priesterin oder eines Magiers der neuen Zeit, dann wirst du mit deinem Lächeln die Welt um dich herum verändern. Mein Geschenk für dich ist Selbstverantwortung. Nimm dieses Geschenk an. Es ist Zeit, denn die Welt braucht dich in deinem erlösten Licht. Werde zu dem göttlichen Wesen, das du bist, und sei dankbar für alles.

**Heilsamer Weg:**
Hole ein Stück Weidenrinde, und trage es am Körper. Schreibe »Salix vitellina« auf vier Pflaster, und klebe je eines so hoch wie möglich auf die Innenseite deiner Oberschenkel, und je eines so hoch wie möglich auf die Innenseite deiner Oberarme. Zusätzliche Empfehlung: Nimm die Bachblüte Willow ein. Befreie dich selbst.

# Nachwort

Was du in dir heilst, wird die ganze Welt verändern. Wenn wir einen Weg wählen, der in göttlicher Ordnung und Harmonie schwingt, werden wir dieses Licht aus uns heraus im Außen manifestieren. Das ist der Weg des Helden, aber auch der Weg, den deine Seele für dich in dieser Inkarnation angedacht hat – denn sie will Entwicklung, sie will Aufstieg, sie will, dass du den Weg des Herzens gehst. Dieser Weg hat ein Fundament aus Weisheit und ist gepflastert mit Wahrheit, dieser Weg führt dich zur Glückseligkeit. Es gibt ein Sprichwort, das lautet: »Die Wahrheit liegt in der Mitte.« Für mich bedeutet das, dass die Wahrheit nur in der Balance zu finden ist, nicht in Extremen. Für mich ist ein ständiges Fasten genauso ein Extrem wie ein übergewichtiger Körper. Das Zölibat ist genauso ein Extrem wie Sexsucht. Nimm die Extreme wahr, ohne zu urteilen. Nimm Abstand, sei gnädig mit dir und auch mit anderen Menschen, die noch gefangen sind in ihren Extremen. Und schwinge in der Gewissheit, dass irgendwann die Erkenntnis kommt, sich das Extrem ausbalanciert und Frieden findet. Die Erkenntnis kann nicht erzwungen werden. Sie wird einfach kommen, ohne Mühen, ohne stundenlanges Beten und Meditieren, denn sie schwingt schon längst in

dir. Der Heilsame Weg ist ein Weg des Herzens und der Seele, und Heilung bedeutet, die Extreme in Balance bringen, so, wie es die göttliche Quelle angedacht hat für dich und die Welt. Der Heilsame Weg ist die Möglichkeit des inneren Aufstiegs. Er ist ein Licht, das längst schon in dir ist, aber von außen einen kleinen Schubs braucht. Nutze die Schwingungen, die sich mit dem Kartenset zeigen.
Sie sind Geschenke.

# Danksagung

… ein Wort des Dankes und höchster Anerkennung!

Es ist mir ein tiefer Herzenswunsch, Anja Kostka für die unglaublich schönen Bilder zu danken. Anja hat die Bilder zu meinen Texten ins Leben gerufen und mit viel Gefühl die magischen Schwingungen der Meisterinnenenergien eingefangen. Gerne kann bei Interesse ein Kunstdruck bei Anja bestellt werden.

Von Herz zu Herz – *Arana*

**Anja Kostka** ist selbstständige Illustratorin und 3D-Artist. Auf einem Bauernhof aufgewachsen, waren die Natur und die Tiere früh der Quell ihrer Inspiration und Kreativität. Bereits als Kind betätigte sie sich gerne künstlerisch. Nach einer Ausbildung an der Fachoberschule für Gestaltung studierte sie Game Design am QANTM Institut in München.

www.anja-kostka.de

Worte aus meinem Herzen!

Auch möchte ich das Licht des Dankes zu Susanne Hühn fließen lassen, einer Freundin und Kollegin, die mich mit ihrer Weiblichkeit inspiriert. Danke für die weisen Worte im Einleitungstext, und danke für das warme Licht, das du uns allen mit deinem Sein schenkst.

Von Herz zu Herz – *Arana*

**Susanne Hühn** ist ausgebildete Lebensberaterin und ganzheitliche Physiotherapeutin. Sie schreibt spirituelle Selbsthilfebücher und gibt Lebensberatung, Channelings sowie Meditationskurse für Erwachsene und Kinder. Seit 1986 begleitet sie Menschen auf ihrem Weg zur Gesundung. 1992 begann sie mit dem Schreiben spiritueller Romane, dann vermittelte sie ihr Wissen in Sachbüchern und auf CDs, die sie mittlerweile in großer Zahl veröffentlicht hat.

www.susannehuehn.de

# Über die Autorin

Christine Arana Fader, die »Drachenfrau«, wurde im Jahr 2000 von der Geistigen Welt mit der Drachenenergie verbunden. Zehn Jahre lang wurde sie von lichtvollen Wesen und den Drachen geschult.

Über das Schreiben fand sie zurück nach Avalon, zurück zu einem natürlichen Verständnis von Magie und zu der Erkenntnis, dass wir für die weiblichen Kräfte in uns Verantwortung haben. Mit ihren Workshops möchte sie die wundervolle Magie von Avalon zu den Menschen zurückbringen und diese wieder mit der Kraft der Drachen, jener magischsten aller Energien, verbinden, denn jeder Mensch trägt einen eigenen Zauber in sich, der jetzt für unsere neue Welt erwachen darf.

www.goldkamille.de

Ebenfalls von der Autorin erschienen im Schirner Verlag

**Morgaine**
Das Leben einer Priesterin
von Avalon
336 Seiten
ISBN 978-3-8434-3048-7

**Bestimmung**
Erwecke die Kraft
der Priesterin in dir und
entdecke deinen Seelenpfad
Kartenset, 44 Karten mit
Begleitbuch
ISBN 978-3-8434-9165-5

**Avalon & Camelot**
Magische Botschaften
Kartenset, 43 Karten mit Begleitbuch
ISBN 978-3-8434-9059-7

Viele Mythen, Sagen und Legenden ranken sich um Avalon. Christine Arana Fader gewährt mit ihren Romanen einen einmaligen Einblick in dieses mystische Reich, jenen Ort, an dem weise Frauen das geheime Wissen der Quelle hüteten und weitergaben. Tauchen Sie ein in diese sagenumwobene Welt, und lassen Sie sich von den berührenden Geschichten sowie den wunderschönen Illustrationen und kraftvollen Botschaften des Kartensets verzaubern.